阅读天津

罗澍伟 主编

津渡
FERRY
CROSSING

舟楫济千里

陈　克——著

天津出版传媒集团
天津教育出版社

图书在版编目（CIP）数据

舟楫济千里 / 陈克著 . -- 天津 : 天津教育出版社，
2022.10

（阅读天津·津渡 / 罗澍伟主编）

ISBN 978-7-5309-8881-7

Ⅰ. ①舟… Ⅱ. ①陈… Ⅲ. ①大运河 - 介绍 - 天津

Ⅳ . ① K928.42

中国版本图书馆 CIP 数据核字 (2022) 第 156438 号

舟楫济千里
ZHOUJI JI QIANLI

出　　　版	天津教育出版社
出 版 人	黄　沛
地　　　址	天津市和平区西康路 35 号
邮购电话	（022）23332417

策　　　划	纪秀荣　任　洁　王轶冰　田　昕
责任编辑	田　昕
特约编辑	魏　劼
摄　　　影	张　凡
装帧设计	世纪座标　明轩文化
美术编辑	郭亚非　汤　磊

印　　　刷	天津海顺印业包装有限公司
经　　　销	新华书店
开　　　本	787 毫米 ×1092 毫米　1/32
印　　　张	5.75
字　　　数	65 千字
版次印次	2022 年 10 月第 1 版　2022 年 10 月第 1 次印刷
定　　　价	38.00 元

阅读天津·津渡

HOW TO READ TIANJIN

FERRY CROSSING

主编的话

罗澍伟

　　乘着凉爽的秋风，"阅读天津"系列口袋书第一辑"津渡"，翩然而至，饱含播种的艰辛和收获的喜悦。

　　天津，是国家历史文化名城，是一座因河而生、因海而长的城市。河与海，丰富了这座城市的历史与生命，让她既传统又时尚，既守正又包容，既质朴又浪漫，多元文化在这里相遇。一年四季，这座城市总是仪态万方、光华夺目，散发着永恒的人文魅力。

　　"津渡"，以上吞九水、中连百沽、下抵渤海的海河为蹊径，深情凝视这座城市的岁月过往，又经由现代价值的过滤，带领读

HOW TO READ TIANJIN

FERRY CROSSING

者重返时间洪流，感受津沽大地所存储的厚重记忆。十本图文并茂的普及性读物，涵盖了海河的历史悠久、运河的遗存丰厚、建筑的精美绝伦、桥梁的琳琅满目、洋楼的名人荟萃、工业的兴盛发达、美食的回味无穷、年画的意蕴深厚、方言的风趣幽默、文学的乡愁悠远。英国浪漫主义诗人雪莱说："历史是'时间'写在人类记忆中一首循环的诗。"认真阅读，既可以领略这座城市源远流长、群星璀璨的深层历史况味，又可以与这座城市异彩纷呈的多元文化来一场愉悦的邂逅。

"津渡"，配有一份精致的手绘长卷《海河绘》，以杨柳青木版年画特有的丹青点染，绘就一条贯穿"津城""滨城"的浩荡长河，上至永乐桥上的"天津之眼"，下达恢宏壮观的天津港；细致描摹两岸众多人文景观，组成了令人流连忘返的沽上美景。站在画前端详，可以直观感受到，水扬清波、直奔大海的海河就是整座城市的生命之源。

"津渡"，巾箱本，特别适合边走边读。漫步街巷与河畔，探寻蕴藏其中的城市文化精髓，可以得到一种满足、一种惬意、一种充实、一种厚重、一种遐思。在传统文化与现代精神的互动中，深入认识这座城市的文化创造力和当代价值追求，以及丰厚滋润的精神归宿，用阅读修养身心。

2019年1月，习近平总书记在天津视察时，作出了"要爱惜城市历史文化遗产，在保护中发展，在发展中保护"的重要指示。

"阅读天津"系列口袋书的出版，是传承发展中华优秀传统文化和守护城市文脉的生动体现，也是悠久历史文化与壮阔现实巨变的聚汇融通，更是深入贯彻习近平总书记重要指示精神的切实行动。爱惜和保护，让我们的城市敞开心扉，留住乡愁；创新和发展，让我们的城市充满生机，万象更新。

正是在这个意义上，热切期望"阅读天津"系列口袋书其他各辑，也能早日出版面世！

（主编系著名历史文化学者、天津市社会科学院研究员、天津市文史研究馆馆员）

HOW TO READ TIANJIN FERRY CROSSING

古运河上新天津

大运河是我们中华民族的文化遗产，连接了长江、淮河、黄河、海河等水系，促进了南北物资交流和传统社会商品经济的发展，形成了中国古代最发达的经济带。特别是明清以后，运河沿线出现了一批新的商业市镇，为我们今天的城市化准备了发展的雏形。大运河沟通了物流人流，同时也带动了运河沿岸的文化交流。南北各异的民俗文化沿着运河广泛传播，为我们留下了众多丰富多彩的非物质文化遗产。

2006年，五十多位全国政协委员上交提案呼吁为运河申请世界文化遗产，激发了全国对运河沿岸城市文化保护与发掘的热潮。2009年，天津市成立了大运河保护和申遗工作领导小组。2014年，中国大运河项目成功入选世界文化遗产名录。

当中华文明已在中原大地纵横的时候，天津地区还是成陆不久的滨海湿地。但是当国家的政治中心转移到东部的南北轴线时，天津就以河海交汇的优越区位，获得了良好的发展机遇，从而迅速崛起。虽然天津出现得较晚，却是最大的运河城市。随着首都的北迁，大运河的北段经过天津，可以说天津从一出现就打上了运河的烙印，是名副其实的因运河而生，因运河而荣的城市。

运河文化应当分为三个层面：本体层面，包括河床走向、闸坝码头，碑刻官衙等；经济层面，包括因运河而生的城市街巷、商业活动等；文化层面，包括民风民俗、饮食小吃、戏曲曲艺、民间信仰、园林书院、名人掌故等。

天津与其他运河城市的同质性和密切关系体现在各个方面，如都有用相似名称表明行业的街巷，像竹竿巷、估衣街、锅店街等；再如都拥有相同的庙宇系统，如遍及运河沿线的大王庙，在天津也有。此外，天津的北大关是运河的七大钞关之一；天津的商帮有一多半来自运河沿线省份；天津许多戏曲、曲艺的来源与传播都与运河有关联；天津的饮食文化更是与运河有着千丝万缕的渊源，如天津的煎饼馃子源于山东，杨村糕干则来自浙东；名震全国的天津杨柳青年画如果追根溯源，最初也是从苏州沿运河北上落户于此，与当地文化交相融合，再借助运河

以崭新的面貌名扬四海。这么细研究起来，天津许多传统文化都与运河息息相关，它们沿运河而来，扎根津沽大地，相互借鉴，相互包容，从而形成了一个包罗万象的独属于天津的运河文化系统，由此可见，从运河角度重新认识天津也为我们研究天津文化开辟了一个新的天地。

　　从宏观到微观，从自说自话到比较联系，我们对运河的认识还任重道远，希望这本小书能抛砖引玉，引来更多的共鸣。

陈 克
2022年9月

目录
CONTENTS

清嘉庆道光年间绘制的大运河全图天津段

三岔河口

纠缠不清的
三条河

　　天津的历史上有三条河始终纠缠不清，就是
黄河、海河和大运河，可以说，是这三条河左
右着天津的命运。虽然人力似乎努力影响着河流
的分合，但自然仍然显示了最终的统治力。

20 世纪 30 年代的三岔河口

　　天津的历史上有三条河始终纠缠不清，就是黄河、海河和大运河，可以说，是这三条河左右着天津的命运。从先秦以来，一直到 1949 年前，不到三千年的时间里，黄河下游决口泛滥竟达 1 953 次之多，差不多三年就有两次决口，重要的改道达 26 次。黄河在华北平原上的摆动，多次把海河诸水系纳入黄河水系。东汉末年，修筑的运河沟通了海河，到隋朝进一步挖通了京杭大运河。此时，无论是运河还是海河，都被黄河收入囊中。南宋建炎二年（1128），宋军为阻金兵南下，在李固渡（今河南滑县南沙店集南约一千五百米）决河，使黄河南下夺淮入海，海河因此脱离黄河又形成独立水系，同时京杭大运河也脱离了黄河的影响。清咸丰五年

（1855），黄河在兰阳铜瓦厢决口，穿寿张县张秋镇过运河入渤海，又截断了运河。

虽然人力似乎努力影响着河流的分合，但自然仍然显示了最终的统治力。

天津的位置素称九河下梢，《禹贡》记载黄河"播为九河，同为逆河，入于海"，这个历史上的"九河"并非今天的海河，而是当年大禹治水时黄河尾闾入渤海的通道。据《水经注》记载，直到东汉末年，华北诸河还是分别入海的。东汉建

20世纪40年代的三岔河口

独流镇运河

安十一年（206），曹操为了北征乌桓，开凿了平虏渠、泉州渠和新河。其中，平虏渠沟通了滹沱河与泒水（今大清河），泉州渠沟通了滹沱河与白河，新河沟通了白河与滦河。这些运河沟通了分别入海的华北诸河，初步形成了连通五大水系的海河水系。天津地区地处渤海西岸，海河流域的各条河流自然而然要从此入海，当年曹操开凿运河时便关照到了"通

海"这一因素，可以说，运河与海口相通是天津运河的重要特征。

隋统一中国后，高句丽成为隋王朝北方的威胁。隋炀帝在大业四年（608），征发河北诸郡百余万民夫开挖永济渠，中段就是从卫县以下经馆陶、东光等地，到达今天的天津市附近。永济渠以曹操时的运河故道为基础，扩展成为大运河。河道由静海独流附近西折，穿越冀中洼地，经过今天的信安镇、永清县，接卢沟河上达涿郡。从今天津市界到古涿郡（今属北京市）的运河北段，改造了两条自然河道，即卢沟河和向东流的拒马河（略相当于后来的大清河）。隋唐运河虽没有经过如今的天津市区，但是汇合后的河水还是经过天津的三会海口流向大海。1957 年，天津考古队在军粮城西南 500 米的地方发现一处具有鲜明的唐代文化特征的墓葬。此后，在军粮城附近的唐洼、白沙岭一带，又陆续发现了一些隋唐时的墓葬。除唐墓外，在军粮城大约一千米的范围内还发现了隋唐时期的遗物。这些都证明了军粮城应该在唐代以前就形成了。而根据军粮城一带考古发现的唐代遗址，是可以推断出隋唐时期运河的位置的。

运河上的桥

运河金辉

到宋代由于气候变冷，北方民族压过长城，把南北民族对峙的防线推到平原上，形成以海河、白沟河为界河的"塘泺防线"。所谓塘泺防线就是在澶渊之盟以后，北宋政府为

了防止辽军骑兵轻易突破界河防线，将界河附近的诸多水淀
连成一片，形成一片"深不可涉，浅不可舟"的水塘防线。
这片水塘"东起沧州界，西至乾宁军（今属青县），沿永济河，广一百一十里，纵九十里至一百三十里，深五尺^①"。既然界河南岸都成了一片汪洋，御河（南运河）便成为塘砾的水源，并通过塘砾入界河后入海。遍布河北路的诸多河道大多在此汇入渤海，此处既是前线又是交通要道，因此北宋一直派驻重兵把守。朝廷甚至在泥沽海口、章口设置海作务造船，想用海船从海上去打探北方辽国的军情。即便如此，当时的天津地区依旧是人烟稀少，沼泽密布，榛莽丛生，界河仅作为屏障使用，很少用来通航。

北宋庆历八年（1048），黄河发生了一次重大的决口和改道，即第三次黄河大徙。"黄河在今濮阳东昌湖集处决口，由此改道折向西北，经河南内黄之东、河北大名之西，经今滏阳河和南运河之间，沿着南宫之东，枣强、武邑之西，献县之东，至青县汇入御河（今南运河），经界河（今海河）至今天津入海。"宋人称这条河道为"北流"或"北派"。其后黄河又多次决口，从德州往沧州入海，这就是"东流"。这时的海河又被纳入了黄河水系。由于黄河水量极大，界河河道经过数年的冲刷，两岸日渐开阔，入海之势非常宏大，这就是今天海河样貌的来历。

北宋靖康二年（1127）四月，金军攻破东京（今开封），

---

① 尺，市制单位，一尺约等于 0.33 米。

第二年（1128）冬，宋东京留守官杜充妄图以水代兵，在滑县以上李固渡以西扒开河堤，决河东流，结果使黄河发生了一次重大的改道。黄河经河南、山东之间，在今天的山东巨野、嘉祥一带注入泗水，再由泗水进入淮河。这次改道导致海河又离开了黄河水系，此后黄河便再也没有回到天津地区。黄河南徙后，漳卫南运河、子牙河、大清河、永定河、北运河分别注入海河干流，海河水系重新形成。

黄河是世界上含沙量最多的一条大河，平均每立方米的河水含沙量约为 37 千克，它每年倾入大海的泥沙多达 16 亿吨。泥沙在界河入海处大量沉积，使海岸线不断地向海洋推进。黄河北徙的八十多年间必然使界河入海口外推，界河入海口向渤海至少外推了十几千米，由于黄河水不利于贝壳生长，因此黄河水离开后才又出现贝壳堤，这就是渤海的第一道贝壳堤和第二道贝壳堤之间产生距离的原因。

黄河南徙以后海河逐渐形成五大支流，分别是白河、永定河、大清河、子牙河和卫河，这个格局一直延续至今。

北运河上的索桥

天津漕运的前世今生

　　随着封建王朝大一统格局的形成，为了维持庞大帝国的军政物资转运，运河的开掘成了帝国重要的施政内容。到元朝定都北京后，处于南北政治对峙前线的天津地区，成为军运和漕运的枢纽，由此天津出现了城市的萌芽，并作为物资转运中心迅速崛起。

南运河边天子津渡遗址公园

历史上中国的各民族分分合合，但总的趋势是走向统一的。最初中原诸侯之间进行不断的兼并战争，北方政治中心一直以黄河为轴东西游动，后来随着疆域的扩大，因运输粮草的需要，就有了修运河的必要。当大一统格局形成时，王朝开疆辟土，同时也为抵御游牧民族入侵，政治重心出现南北游动的现象，为了维持庞大帝国的军政物资转运，运河的开掘成了帝国重要的施政内容。到元朝定都北京后，处于南北政治对峙前线的天津地区，成为军运和漕运的枢纽，由此天津出现了城市的萌芽，并作为物资转运中心迅速崛起。

公元1125年金灭辽后，便立刻兵分两路进攻北宋。1126年12月，北宋燕京守将降金，天津地区落入金的统治范围。这时金开始四处掳掠人口充实河北地区。金天德三年（1151），海陵王完颜亮下诏，把都城从上京会宁府（今黑龙江阿城南白城子）迁到燕京，即今北京。金迁都燕京后，政治重心南移，燕京地区军民人口不断增加，这必然带来粮食紧缺和陆运物资费用的问题。这时金的统治区域已包括了山东和河北诸县，燕京的粮食也主要来自这些地区。金自迁都之后，为了维持首都的粮食供给，开始对运河进行疏通和治理。金政府充分利用了唐宋以来的御河，不仅启用通向涿郡的永济渠，还尝试溯通北运河直至通州，这一段就是沿海河上行的潞河。这条水路要通过"信安海壖"，即塘泺防线遗留下的湿地，

其范围从信安到海滨，包括三岔河口地区。据
《金史》记载，金泰和六年（1206），北京南
面的通济河设立一名巡河官，与天津河同属一
司，通管漕河闸岸，官名天津河巡河官，隶属
都水监。所谓天津河就是北运河，最早出现的
"天津"一词是河名。

金大安三年（1211）秋，成吉思汗亲率
蒙古大军南下，拉开了灭金战争的序幕。为了
漕运的安全，金朝廷在三岔河口设立了直沽
寨，这就是天津最早的军事聚落。金贞祐元年
（1213），金朝廷调武清县巡检完颜佐、柳口
镇（今杨柳青）巡检完颜咬住为正、副都统，
戍守直沽寨。直沽寨实际是由武清和杨柳青的
军官代管。金朝设直沽寨，是为了保卫金中都
的供应线，加强三岔河口地区的防卫力量，但

北运河

是由于河北、东北地区大片领土的丧失，金朝财政陷入困境，金中都已很难维持，1214 年，金章宗带头逃跑，迁都开封，1215 年，金中都就被元军攻取。因金首都南迁，运河就失去了作用，直沽寨也失去了确切记载。元从占领金中都到建立大都这 56 年间，在天津地区并没有建立起有效的行政管理。天津地区依然被各路地方割据势力占据着。

元至元八年（1271），元世祖忽必烈下诏改中都为大都，作为大一统帝国的首都。从元代开始，国家的首都基本建立在北方，中国的政治中心从此也变成在东部南北游动的格局。元朝廷每年的粮赋收入为 1 211 万石①，其中江浙行省有 450 万石，腹里（华北）才 227 万石，大部分粮石来自江南，于是粮食供应问题就提上了日程。最初元政府利用原来金朝的运

———————————

① 石，古代重量单位，1 石等于 60 千克。

20 世纪 30 年代运河上的货船

河河道或是车载的方法向首都运粮。漕运路线是先由杭州至镇江，过江后北入淮河，漕船由黄河逆水行驶到中滦地区，由旱路转运到淇门再入御河，经直沽转入白河逆流到通州，再由陆路进京。这是一条费时费力，很不方便的运路。元至元十三年（1276），元朝开始修凿济州河，其后开凿会通河，改造南运河以南的河道。元政府第一次贯通了京杭大运河，从而奠定了之后几百年南粮北运的经济格局。

　　元至元十三年，元兵攻陷临安后，丞相伯颜曾命海盗朱清、张瑄把南宋库藏图籍自崇明州从海道运至大都，于是至元十九年（1282），元利用图籍中的记录开通了海上漕运的通道。最初的航线基本上沿着海岸线走，浅滩很多，行船危险，费时又费力。1291 年开始，元朝廷两次对海运路线进行探索开辟。从直沽海口到天津的海河这一段也成为重要的海漕运道。为了航行安全，朝廷还在直沽海口设立了航标，"立标望于龙山庙前高筑土堆，四傍石砌，以布为幡。每年四月十五日为始，有司差夫添力竖起，日间于上悬挂布幡，夜则悬点火灯"。漕粮由海道到达直沽，然后通过北运河到达大都，由此天津的大直沽聚落开始繁荣起来，宫观、接运厅、临清万户府，皆在大直沽，临清万户府设于 1290 年。元延祐三年（1316），直沽改为海津镇，这个直沽在三岔河口附近，或称小直沽。大直沽在其东南十里。三岔河口附近的海津镇，就是后来明代卫城的位置。

在开辟海运的同时，元政府也一直没有放弃河运这种运输方式，而且一直在努力沟通南北运河。元代漕粮运输始终保持河运和海运两种方式。因京杭运河还没有彻底沟通，漕运或是通过运河前半段河运到山东后，经大清河（黄河）出海由海运入直沽后进大都；或是由海运至东阿，后陆运至临清，再由御河运至大都。

后一种河运也必经直沽三岔河口。据统计，从元世祖至元二十年（1283）至元文宗天历二年（1329）的46年中，从江南起运的粮食总数约为八千二百九十余万石，起运量最多的为元文宗天历二年时，多达三百五十余万石。天历年之后，海运粮数失去连续记载，但估计每年也有二三百万石之多。为了贮存每年春秋两季集中到达的漕粮，元政府在河西务建立了大型粮仓。之所以选址河西务可能是考虑到直沽地势低洼不适于建粮仓的因素。如元至元二十五年（1288），北运河决堤，就差点淹了直沽的粮仓，当时督漕官"壁树栅，率所部畲土筑堤捍之"。而河西务附近有一片宽阔的水面，正与运河相通，方便漕粮卸运。在今天河西务东北约三千米的地方，还有东仓、西仓、南仓（含龚庄）、蔡庄（即北仓）四个村庄。在这些村庄的东南面有一片村民称为前海子、北海子的洼地，就是当年运河古道的码头，船只可以在此掉头、停泊。河西务共建了14座永久性的廒仓，合计1 100间，可贮粮2 265 000石。十四仓矗立在北运河畔，海运、河运的漕粮都在这里集中贮存，一部分运往大都。

元时,漕运河道依然经常淤塞,为了保护海河运道,元朝政府曾组织军队在武清、宝坻等地驻军开荒屯垦。终元一代,运河治理的重点主要都在北运河。如元至治元年(1321),小直沽汉河口潮汐往来淤泥壅积七十余处,不能通漕运。到元至正十一年(1351),直沽河已淤数年,政府花费巨资招募民工万人,历三个月才疏治完成,同时又派军队千人,疏浚从直沽至通州的河道。元代的海津镇是天津城市真正的起点,作为一个海河与运河对接的港口,它的建设为漕运开辟了新局面。

明代延续了元代南粮北运的格局。明永乐二年(1404),天津卫正式设立,同年12月23日开始筑天津卫城,于直沽建百万仓,从此确立了天津的名称。在天津设卫显然是因为这里是河海转运漕粮的重地。元代留下的运河只能通过一百料(载一百多石)的漕船,天津卫

天子津渡遗址公园旁的南运河

天子津渡遗址公园内的石刻

设立时运河尚未疏通，漕运还得以海运为主。朱棣登基后，迁都北京，随即开始修建运河。明永乐十三年（1415），山东戴村坝和南旺分水工程完成，这时南旺以北的山东运河也成为海河水系的一个组成部分。新修成的南北大运河可以通行四百料的漕船（载四百八十石左右），完全解决了河运漕粮的需求。鉴于河运比海运更可靠，明王朝就把漕粮运输的重点放在了河运。明代是漕运走向成熟的时期。

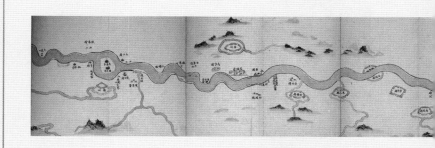

美国国会图书馆藏 1884 年全漕运道图
（天津北京段）

范庄子运河

从明朝出到清朝的
河工

　　出河工无非两个目的，一是减灾，二是保漕。天津地区地势低洼，处于九河下梢，因此从明朝到清朝，天津运河的维护疏浚工程始终未曾停歇。

明朝早期，每年全国税额总数接近 2 950 万石，需要通过运河运到北京的粮食一般在四百万石左右，比元代多了三分之一。据《漕船志》记载，明永乐年间至宣德年间，全国运船数为一万一千七百余只，明天顺年间（1457—1464）规定天下船数为 11 775 艘，占用官军十二万一千五百余人，之后这个数字稳定了近百年。

天津卫军的主要任务，就是保证漕运的安全，保证漕船不误期，同时负责协助疏通运河河道等，通常并不参与运输。据《漕运通志》统计，属于天津卫的漕卒才 364 人，运粮任务只有 11 190 石。漕船各帮的出发与到达北京的时间是有严格规定的。明成化八年（1472），规定了各省漕船到京的时间，北直隶并河南、山东卫所，限五月初一日；南直隶并凤阳等卫所，限七月初一日，如果有过江支兑者，限八月初一日；浙江、江西、湖广都司卫所，限九月初一日。这说明运河通航能力有限，全部漕船出动在运河上会很拥挤，必须分期分批通过。

2012年，在北运河清淤整治过程中，天津市北辰区双街镇张湾村东南，北运河河道转弯处发现一艘明代沉船，天津市文化遗产保护中心对沉船进行了抢救性考古发掘。这艘沉船位于北运河天津上浦口村与下浦口村之间弯多流急的河段，正是明代漕船必经之处，侧面印证了当年运河上繁忙的运输情况。

南北运河从静海以北到通州的河道，尤其是北运河，有诸多浅段，需要经常维修，

民国时期唐官屯南运河河岸上的纤夫

筐儿港运河枢纽

一旦停止维修，漕船就不能顺利通过。参与维护漕运河道是天津卫的主要任务，天津地区从静海到武清共有 70 个浅段，配备浅夫 580 人。除了日常的维护，运河还需要经常集中疏浚，特别是遇到河堤被洪水冲坏时，更需组织人力修复。根据《明实录》记载，明代大规模维修运河的记载长年不断。从明宣德九年（1434）到明万历四十六年（1618）的 184 年

间，仅北运河方向就至少有 17 次河工，平均十多年就有一次大规模治河工程。其中明成化年间（1465—1487）有五次修河工程，平均四年多就修一次。这些工程动员的人力为"军民""营卒民夫""军余"，意即卫所军人、额定浅夫或官剥船夫等。除了河道的维修外，河岸的纤夫纤道也要进行整理，沿岸村庄、城市房屋的建造都有规定，"天津卫城外濒河，纤道被民房所侵,影响行船,于是官府下令距河四丈许,方许作屋"。

天津卫不是行政建制,只是个驻军的地方,包括三个卫,天津卫、天津左卫、天津右卫。当时天津卫属于静海,天津右卫则是从青州左卫调来的。天津卫没有辖地,其下属的千户所和屯堡分散在天津卫城以南的静海、青县、沧州、南皮等县,以及沿运河附近的地区。屯田的地点散布在卫城以南三百里的地区,号称72屯,实际有143屯。按照明代军制,天津三卫官兵应有16 800人,后来就没有那么多人了,明万历年间(1573—1619)才有9 399人。明代卫所自卫指挥使以下军官和士兵都是世袭的，父死子继，户籍与普通百姓分开。明中期以后卫所制逐渐松弛，但终明之世，卫所制不废。元末战争使河北人口锐减，明初从洪武年间（1368—1398）到永乐十五年（1417）的四十余年间，明政府有计划地向华北迁山西居民共 18 次。这是我国有史以来规模最大、时间最长、范围最广的有组织、有计划的移民。除山西之外，天津地区的移民还有来自山东和江南等地，当时移民重点在南运河一带。天津很多村镇是由军屯演变而成的，明初静海、西青、北辰、东丽、津南、塘沽六区共建村 522 个，到今天市内共有 71 个街区地段是出现于明初的，其中相当一部分当年是周边村庄，后来随城市发展并入市区。天津地区在河流经过又改道的河床地带，沉积了易于耕种的田地，为移民建村创造了自然地理条件，经过各方移民多年的开发与耕耘，最终成为丰茂盛产的农田。

　　1644年清军入关，清朝建立，并定都北京。清朝完全继承了明朝建立的成熟的漕运制度和运河的管理机制。清代的漕帮人员已经不再是军士，而是民间水手。天津的漕帮主要参与河南漕粮的运输，据记载清道光十七年（1837），参与河南漕运的天津帮只

潞河督运图雕墙

有帮船 17 只、兵米船 3 只。天津的主要任务依然是"催趱漕运"和"剥船接济"。所谓"催趱漕运"就是催促漕船进京不得停留，和回空船不许停留。漕船到天津后上行北运河，每只漕船水手、舵工多不过十一二人，过关时在船撑篙、掌舵者必须有三四人，仅八九名上岸扯拽，人力不敷，极易造成船只磕损，因此天津关地方每日会拨兵 20 人助力拉纤。

北运河的剥运（驳运）是明清两代天津漕运的主要任务，准确地讲天津的漕运文化其实主要就是剥运文化。清代继承了明代的官办剥船制度，官办剥船即红剥船，最初只有 600 只。剥船户每船一只给小地十顷，免其地粮来供应剥运的使费。剥运所需剥船的数量是随着河水的枯盈和漕船抵达的迟速随时变化的，但无论如何，600 只船也不够用，实际上北运河上的剥船经常超过 1 500 只，很多时候是得另雇民船的，这使得官府管理起来十分麻烦。于是在清康熙三十九年（1700），朝廷彻底废除了官派剥船户的制度，使剥运完全市场化了。官府对漕运的到达时间虽有规定，但运途中的变化却使船只到达时间参差不齐，往往造成剥船的调配疲于奔命，更且运河上的冻阻现象并不是新鲜事，河道拥挤，剥船紧张成为常态。因此到清代，对剥运管理较之以往精细化了许多，清康熙十七年（1678）规定："每船载

筐儿港

皇船坞

今日皇船坞

米不得超过四百石，入水不得过六捺，空船不得过四捺。""捺"是民间的度量方法，就是一巴掌长的意思。满载船入水不得过六捺，即吃水最深不能过四尺二寸。吃水较深，剥船不必将重船所有的粮食都卸下来，只要卸下一部分，减少漕船的吃水即可。卸粮多少，视河水深浅而定。遇水大之时起四存六，遇水小之时起六存四，灵活掌握起剥比例，这确实是管理智慧的体现。如果实在剥运不及时，漕船就要在天津北仓被截留。由于北仓是经常截漕的地方，为缓解天津剥运拥堵的困境，建立水次仓势在必行。清雍正元年（1723），天津北仓地区重修津邑储备仓，雍正二年（1724）建成。津邑储备仓包括北仓廒、中仓廒和南仓廒，民间通称北仓，共有仓廒48座、240间，占地二十多万平方米，可储粮40万石。北仓的功能主要是为了截漕赈济或平粜，据统计，建仓176年间北仓共截漕42次，截卸漕米总计1 200

万石，发挥了很大的调剂作用。截漕留用的通盘调度，避免了不必要的运输对流，节省了大量的人力物力。

古代朝廷主导治水无非两个目的，一是减灾，水灾造成的减产必然影响税收；二是保漕，因为漕运是朝廷的命脉，当然是重中之重。一般治水之法有三：一是筑堤挡水；二是放淤；三是挖减河。天津地区地势低洼，处于九河下梢，因此经常受到洪水的威胁。清代海河流域统计大洪涝年共13次。历史上的天津城墙，在军事防御上并没有发挥过太大作用，倒是在防御洪水方面派上过用场。最初天津城墙高三丈五尺，宽二丈五尺。清雍正三年（1725），重修时变成高二丈四尺，下宽三丈二尺，上宽一丈九尺，降低了高度，增加了宽度，状如河堤。不但城墙成了河堤，城砖也成了记载洪水水位的标志。老城单街等处是南运河河道最接近城墙的地方，河道凹岸处长年受到河水冲刷不断坍塌，因此不但单街受到河水的威胁，最终连城墙也不可避免。清雍正三年，天津盐商安岐重修城墙时，曾将北面城基由距卫河200步向南移了100步，应当就是有躲避南运河之意。16年后的清乾隆六年（1741），朝廷仍在维修南运河的单街、望海寺和毛家伙巷等处的坍塌堤工及迎水坝座。直到1918年三

北运河土门楼京津冀缓冲区节制闸

岔河口裁弯时才彻底解决了这个问题。清代天津的运河工程还有许多，如在城市周围进行过海河叠道、护盐坨堤、南仓引河、霍家嘴引河、堤头村引河、贾家口引河、陈家沟引河、新开河等工程，还疏浚了贺家口、何家圈、双港、白塘口四条通海河的疏水引河；另外从陡水洼起，绕药王庙至北里口，修建通向白塘口石闸的引河，从大淀始，修建绕大韩庄到咸水沽的引河，引导威胁天津的洪水流入海河下游；在北运河上，还修筑了筐儿港和青龙港两条减河，极大缓解了北运河的洪水问题。

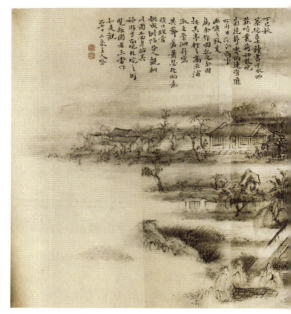

水西庄图

盐商们引来的
雅文化

　　盐业的发达使得天津形成了一个特殊的阶层——盐商阶层，这些富而好文的盐商比邻运河或在海河两岸兴修私家园林，招揽各地文人雅士，让天津这个历史不长的卫所出现了人文荟萃的文化沙龙，从此开津门雅集之风。

后唐同光三年（925），芦台（今天津市宁河区内）南部就设立了专门煮盐的"芦台场"。辽天显十二年（937），新仓镇（今天津市宝坻区内）设置了专门管理盐务的榷盐院，这就是长芦盐务的起源。至北宋时期，河北盐务在沧州有三个务，滨州有四个务。元代，海津镇附近的三岔沽也出现了

今日盐坨地

盐场，成为长芦盐区的一部分。此后元明两代都有专门机构管理长芦南北盐务。明代设河间长芦所，下辖沧州、青州二分司，设长芦批验所和小直沽批验所分隶于沧、青两司。明代盐场数最高峰时达 24 场，南北盐务各辖 12 场，河间长芦都转运盐使司一直设在沧州。

明代中后期，长芦盐区生产出现了重大革新，即从煎煮向摊晒过渡。清康熙初年，长芦盐区大规模改煎为晒，极大地提高了盐产量，天津地区盐场的生产潜力被发挥出来了，于是朝廷开始裁并南北司的盐场。明隆庆年间（1567—1572），长芦24场已减为20场，南场减并三场，北场减并一场。到清代康熙年间（1662—1722），长芦20场又减到16场，南北各减并二场。清雍正十年（1732），南场再减六场，长芦盐区只剩十场。此后清道光十一年（1831），废富国场，道光二十二年（1842），将兴国场并入丰财场，长芦盐区只剩下八场。由此可知，盐场总的趋势就是北盛南衰。摊晒技术的普及和盐产量的增加，意味着南北场的生产都可以充分满足需求，因北场具有河运的优势，既便于管理又便于建立新的运输体系，所以长芦盐的管理机构便移到天津来了。清康熙七年（1668），长芦巡盐御史署从北京移到天津的南运河畔；康熙十六年（1677），长芦盐运司从沧州移驻天津；康熙二十七年（1688），盐运司驻于鼓楼东街。

芦台场盐大部分靠蓟运河运销，出蓟运河口海运入大沽口，经天津盐坨转运。清康熙十九年（1680），开始有部分盐经筐儿港引河运到天津盐坨，后来又由筐儿港引河改道金钟河运至天津盐坨，葛沽丰财场的盐则全部靠海河运至天津盐坨。天津盐商自盐场购盐后便将其存贮于海河东岸（今天津市河北区海河沿岸）的盐坨，

清代天津运河巡盐图

既便于河运又便于政府管理。清康熙十六年，天津盐坨地南起季家楼，北至掣盐厅，呈带状环绕海河，有坨二百四十余。从海河北岸巨大的盐坨地出发，以北河（北运河、蓟运河）系、淀河（大清河）系、西河（子牙河）系、御河（南运河）系为骨干，辅以陆路，盐运基本覆盖了整个直隶省和河南北部的部分地区，包括"直隶的九府、六直隶州、一百三十五州县、二营，河南的六府、一直隶州、五十三州县"。据清雍正年《长芦盐法志》统计，直隶全省通过西河（子牙河）转运天

津坨盐的共有 46 个州县，通过淀河（大清河）转运天津坨
盐的共有 31 个州县，通过北运河转运天津坨盐的共有 15 个
州县，通过御河（南运河）转运天津坨盐的共有 23 个州县。
另外，除天津县用车运天津坨盐外，用车运沧州坨盐的共有
四个州县，用车运蓟永汉沽各场引盐的共有 14 个州县，长
芦的盐引不断增加。明清以来长芦盐市场一直在逐步扩大，
清雍正二年以前，"岁额引九十二万七千二百四十六道"，
按每引 225 斤算，总计约 102 949 吨。与明初相比增长约近

今天的清代天津运河巡盐图所绘地

十倍。不管是因为华北人口的增加，还是因为引岸的增加，盐的运输量确实是在逐渐增加的，因此处在九河下梢的天津卫，其地理区位优势更为凸显了。清代初期，华北地区商品经济并不算发达，长芦盐路通过河道向直隶省腹地的辐射，实际是对华北商路的早期开发，盐业经济第一次推动了京津冀经济的整合，推动了清代直隶省的经济发展。盐业管理机构同驻天津，众多盐商汇聚津门，意味着大量财富向天津聚集。长芦盐业带动了天津商品经济的发展，提升了天津的重要性，四通八达的河道，赋予了天津商品集散中心的地位。

但同时，就天津地区来说，盐运和漕粮剥运的矛盾也日益突出，运河上剥船的数量越来越不够用。由于盐运脚价高于漕船剥运，对船户更有吸引力，从而影响了漕粮剥运的效

率。每逢运盐季节，盐运与漕运时间冲突，剥船更加紧张了。清乾隆五十年（1785），朝廷不得不决定恢复曾裁撤的官剥船。当听闻政府要恢复添造官剥船时，天津的长芦盐商立刻群起响应，提出捐款造船的建议。长芦商人呈请捐银 30 万两备造剥船，既解决了官方的急需，也缓解了盐运缺船的困境。30 万银两可造船 1 500 只，加上后来又筹款生息的官造船只共 2 500 只，原计划十年造成，结果 27 年后直到清嘉庆十九年（1814）才完成。漕运和盐运造就了一支庞大的剥船队伍，据《津门保甲图说》统计，当时整个天津共有船户 6 168 户，清道光六年（1826），朝廷第一次实行漕粮海运时，天津就动员了剥船 1 557 只。

盐业的发达使得天津形成了一个特殊的阶层——盐商阶

层，他们对天津城市的建设、教育和慈善事业的发展，发挥了很大的作用。富而好文的长芦盐商们凭借着雄厚的财力，自觉弘扬、传承着中华经典文化。盐商们在天津兴修的私家园林多达二十余处。这些盐商园林多比邻运河或在海河两岸。他们在私家园林中招待来自各地的文人雅士，大批江浙士子沿运河北上京城时，纷纷先落脚津门，在这些园林中赋诗填词、著书立说，培养了天津浓厚的文化氛围，使天津这个历史不长的卫所出现了人文荟萃的文化沙龙。在天津的盐商园林中，文化底蕴深厚的主要有张氏父子的遂闲堂、安氏父子的沽水草堂和查氏父子的水西庄等，这些园林俨然是南北文人的文化殿堂。

在张氏的私家园林遂闲堂中，张霖、张霔作为主人家招揽名士，一起诗酒唱和，品书论画。名士们大部分来自人文荟萃的江浙或是其他经济发达的运河沿岸地区。遂闲堂开津门雅集之先风，推动天津诗学达到鼎盛，故时人称"天津诗学实自霖倡之"。

安尚义、安岐父子为旗籍朝鲜人，是清代康熙、雍正时期在天津生活的长芦盐商。借经商所得，安氏父子，特别是精于书画鉴赏的安岐收藏了大批珍贵文物。安尚义在天津城东南六里修建了沽水草堂（又名古香书屋），于此间经常邀集各地名家，品评书画，鉴赏古董。他的藏品多为中国历史上的瑰宝，很多都是孤品，安岐死后大多被皇家收藏。流传到今天，这些文物已成为国内外大博物馆的顶级藏品，在故宫博物院、中国国家博物馆、台北"故宫博物院"、辽宁省博物馆、上海博物馆、天津博物馆，以及美国大都会博物馆、美国普林斯顿大学美术馆、美国弗利尔美术馆、大英博物馆、

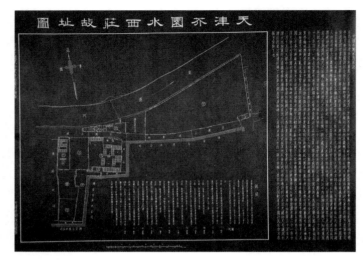

天津博物馆藏水西庄故址图（绘于 1933 年）

日本大阪美术馆等都有收藏。

　　清雍正、乾隆年间是水西庄文化发展的高峰时期。查氏父子在水西庄刊刻图书，收藏金石、书画，款待南北名流才俊和津门乡贤约有二三百人之多。他们在此赋诗填词、品评书画、著书立说，创造了灿烂的水西庄文化，这里一时成为天津雅文化的传播中心。水西庄的兴盛与清乾隆元年（1736）开办博学鸿词科是分不开的，因博学鸿词科而来到水西庄的宾客有很多。这些文人往往都是科场失利、仕途坎坷的怀才不遇的文人，也有满腹经纶、志满心高的士子，他们借助水西庄雅集酬唱的平台得以抒发缓解郁郁的情绪，而得到精神上的慰藉。水西庄独特的景色和繁荣的文化活动，让清代著名诗人袁枚赞不绝口，他曾把天津的水西庄和扬州的小玲珑山馆、杭州的小山塘等名园相提并论。当然，因为时势更迭，水西庄也未能免于衰落，但天津的文人们仍在以一种自觉的意识延续着津城传统文化的余脉，像曾为水西庄绘制全图的画家朱岷的外孙梅成栋就曾在水西庄组织梅花诗社。1921年，步梅成栋后尘，著名教育家严修发起组织了城南诗社，想重现水西庄"觞咏酬唱"的盛况，其后城南诗社陆续参加者多达百余人。1933年6月，河北第一博物院院长、严修之子严智怡组织成立了水西庄遗址保管委员会，这是天津第一个文化遗产保护组织。

北大关（《潞河督运图》局部）

格局大了 地位高了

运河边钞关的设立，因运河带来的盐业发达，共同促使着天津城市商品经济水平由集市阶段进入街市阶段。分工明确的专业街市繁荣昌盛，天津日益跻身于冲繁疲难的城市行列，进一步提升名位是大势所趋。

明初时天津有五个集市，到明弘治六年（1493）又添了五集一市，每集三天，这么一来差不多天津每一天都有一个集市，但城市的经济总量不足以维持每天交易的集市，天津当时的经济地位还不如临清。

明代，朝廷通过河运收缴的税率大约是货物价值的20％。全国共设立八大钞关，有七个钞关设在运河沿线，天津钞关位于河西务。明时河西务税额为35 847两，清顺治十三年（1656）减为30 900两。清康熙元年（1662），河西务关移至天津，即今北大关，到清代雍正年税收便上升到七万两上下，清乾隆十八年（1753）已突破十万两，以后最多时达十二万两，清嘉道年间每年基本维持在十万两上下。不过当长芦盐运中心移到天津，盐税便远超过了关税。清初顺治年间（1644—1661），天津"岁额盐课银三十五万八千五百五十三两五钱四分五厘零"，清雍正二年以前，"岁额盐课银已达到四十二万九千四百四十七两三钱九分二厘零"。长芦盐在经济上的重要性已经极大地超过了运河钞关了。

清代中后期，天津城市商品经济水平由集市阶段进入街市阶段，1846年的《津门保甲图说》统计天津铺户数量已超过负贩的数量，更令人注意的是，这份统计中商人的排列顺序已经不是末业，而是排在绅衿之后，也就是说，在天津的商人已具有更高的身份了。

清代，天津的街市主要出现在城西北沿河一带和城东沿河一带，如曲店街、西杂粮店街、肉市街、小洋行街、缸店街、针市街、估衣街、锅店街、扒头街、磨盘街、小洋货街、棋盘街等。估衣街是大胡同地区最繁华的一条东西向的街道。沿估衣街从西至东，两侧依次有五彩号胡同、归贾胡同、范店胡同、金店胡同等。估衣街南侧还

估衣街

有多条胡同可通达北马路，依次有耳朵眼胡同、万寿宫胡同、邑翠里胡同、沈家胡同、杨家胡同等等。这些胡同宽窄不一，宽的七八米，窄的如耳朵眼胡同宽度不足一米五，这个耳朵眼胡同就是耳朵眼炸糕的诞生地。天津钞关，人称北大关，关署就在北马头渡口河北路西、甘露寺旁。由于来往人多，钞关在北马头渡口捐造了浮桥，即北浮桥。天津旧城北门到

钞关浮桥一段叫北门外大街。北门外大街并不长，沿街商铺林立，一家挨一家。一过浮桥就是河北大街，这条街也是商业繁华的一条南北交通要道，两旁的店铺以经营土产杂品为主，是典型的土产一条街。天津的针市街、竹竿巷等街名，与广东商人在此经营的商品种类有关。竹竿巷、估衣街、锅店街等都是有运河共性的街市，如旧时山东的张秋与临清两地都有锅店街；临清也有一条耳朵眼胡同；杭州、徐州、济宁、临清、德州、天津、北京等城镇，都有竹竿巷。江苏淮安也有估衣街，这些沿运河城镇的街市可以称为运河街市。

　　天津不但是漕运枢纽，也是民间粮食集散中心，彼时的天津已有二十多万人口要吃饭，因此天津有许多粮店、斗店。天津城西北沿河一带旧有杂粮店，形成最早的粮食三大集市：东集、西集和北集。西大湾子就是西集，是由永丰集发展而成的以粮食为主的专业集市；在海河三岔河口以东一带的东集，则形成了以粮店前后街两条大街为核心，由十几条胡同组成的商住集聚区。

商品交易的丰富形成众多的行业，其特征就是有了分工明确的专业街市，到清代，天津正日益跻身于冲繁疲难的城市行列，进一步提升名位是大势所趋。

清雍正三年三月，根据直隶总督李维钧的请求，天津改卫为州。最初天津州属河间府，卫所原辖的143个屯庄就近并入武清、静海、青县、沧州、南皮，而将武清、静海、沧州三处267个村庄划归天津州。紧接着巡盐御史莽鹄立又请改天津州为直隶州，于是1725年农历九月，天津州升为直隶州，管辖武清、青县、静海三县。在天津改为直隶州不久，直隶总督唐执玉又向朝廷请求升州为府，同时再新设一个天津县。于是在清雍正九年（1731）二月，天津的行政级别又从州上升为

直隶总督部堂衙门

从运河上看直隶总督署

巡盐御史署（《潞河督运图》局部）

府，下辖天津、静海、青县、沧州、南皮、盐山、庆云等六县一州，成为畿辅首邑。天津府的公署就在原卫所公署，位于城内大仪门西、北门内西侧，天津府经司公署在府署东，天津府同知公署在西门内，天津镇总兵官署，简称镇署，俗

东浮桥（《潞河督运图》局部）

称镇台衙门，在鼓楼西北。天津城内还有天津府学（文庙）、天津县公署，由于天津府县同城，因此府学与县学也同城。到这时，天津城内已经是衙门林立了。

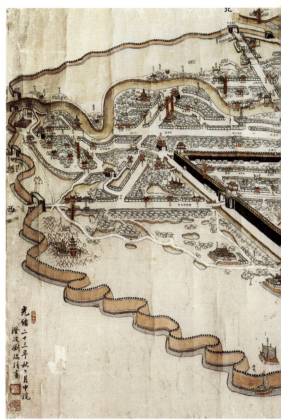

天津城厢图（1897）

列强开埠改变了
天津的格局

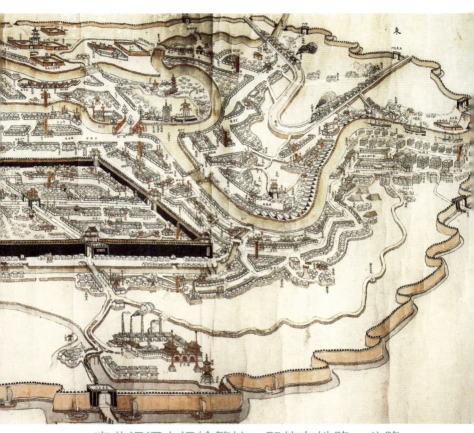

　　南北运河上运输繁忙，即使在铁路、公路网络初成时的 1912 年，天津的内河运输量仍占天津对内贸易总额的 43.6%。在 1916 年，河北全省 118 个商务分会，大部分与天津有河运联系，沿河州县的商业因交通的便利而发展，其上级市场无不沿河直接指向天津。

自从南宋建炎二年（1128）黄河改道夺淮入海以后，山东以北的运河维持了七百多年的漕运功能。清道光年间（1821—1850）至咸丰初年（1851），黄河不但造成了南方运河的淤塞，而且本身也连续发生溃决，在1841、1842、1843、1851 年发生了四次大的溃决，黄河溃决的主要原因仍然是泥沙对河道的淤垫。这些溃决预示着黄河已经到了改道的前夜，终于在 1855 年黄河在河南封丘铜瓦厢决口，由张秋入大清河从山东入海。黄河的改道截断了山东南旺"七分朝天子"的汶河来水，南运河上游只能依靠漳卫河的来水了，这就使南运河作为海河支流更加名副其实。这一变局标志着京杭大运河的漕运开始走向衰落。对天津来说，恰好是第二次鸦片战争大沽口之战的前三年，也是城市将迎来巨变的前夕。

清咸丰三年（1853），太平军占领镇江、扬州以后，切断了南北运河，江浙漕粮全数改由海运，海运到北方的江浙漕粮仍然要通过天津北运河运到通州。1840 年，第一次鸦片战争开始后不久，英国侵略军北侵天津，1840 年 8 月 9 日，英国八艘军舰驶抵天津大沽口外，经过"白河投书"和大沽谈判，历时 37 天，英舰队才退出大沽口南返，对天津以后的社会变化造成了严重的不良后果。1858 年 5 月 20 日，第二次鸦片战争期间，经过激烈战斗，英法联军攻占了大沽炮台，其后僧格林沁抵大沽，重建被英法联军毁坏的大沽炮台，并于 1859 年 4 月，痛击了来犯之敌。1860 年 8 月 1 日，英法联军在北塘登陆，再次占领大沽炮台，随着《北京条约》的签订，天津被迫开埠，成为通商口岸。

天津开埠后，英、美、法三国率先在天津建立了租界。八国联军侵华后，德国、日本、俄国、意大利、比利时和奥匈帝国也在天津划定了租界。到 1902 年，天津共形成九国租界，总面积相当于当时天津老城的八倍。天津租界的建立，是中国近代史上一个重要事件。列强沿海河设立租界的目的就是发展对外贸易和航运业，以便将其生产的工业品源源不断地输入中国，占领中国市场，同时将中国出产的原材料和农副土特产品运往世界市场。因而，天津英法租界的最初开发首先表现为兴建港口和设立洋行。英、法、日等国租界在沿河一带共建有码头总长约九千多米，到 1949 年前，海河两岸先后建了几百座码头，租界港区逐渐取代了三岔河口港区，使天津港区重心迁移，由此天津成为列强通往华北内地的必经之通道，也因此，到 1900 年，南北漕粮全数改折，漕运停摆。漕粮改折彻底结束了运河漕运的历史使命，海河水系完全成了天津的商品集散通道，货运的内容、数量与性质都有了根本的改变。海河上传统的中国帆船逐渐被大型的西方轮船取代，内河漕粮逐渐被各种各样的外贸商品和出口杂货所取代。天津逐渐

运河新居

成为北方进出口贸易的中心。

运河漕运衰落，河运的格局发生了变化。由于当时天津是北方洋务运动的中心，所以进口商品中的军火和铁路器材一度成为大宗。进口的洋货也包括大量生活必需品，除了城市消费外，更多的货物需要运往中国的腹地，在火车出现前这主要依靠天津河网水运。

天津出口的商品则分为三种：第一种是传统农副产品，包括豆类、果品、枣类、花生、茶叶、名贵药材等；第二种是在进出口贸易的刺激下，大幅度增加的产品，如棉花、皮张、驼毛、羊毛、烟叶等；第三种是新开发出来的出口商品，如猪鬃、草帽缏、肠衣、废骨等。这些大都通过南运河运到天津。1905 年，南运河进出天津的民船有 33 992 艘，货运量达 92.48 万吨。同一年通过北运河进出天津的民船有 16 288 艘，货物运输量达 42.44 万吨，除了南北运河的运输量在增加外，所谓西河流域的大清河、子牙河等河流的潜力也被发掘出来。1905 年，通过西河（包括大清河和子牙河）进出天津的民船达 35 621 艘，货物运输量达 84.17 万吨。即使在 20 世纪初期，铁路、公路网络初成时的 1912 年，天津的内河运输量仍占天津对内贸易总额的 43.6%。在日益繁忙的内河航运中出现了一批著名的中转码头，如子牙河的南赵扶、臧家桥，大清河的苏桥、张青口、保定南关，北运河的杨村、河西务、张家湾，南运河及卫运河的泊头、龙王庙、白水潭等，甚至出现了几个叫"小天津"的地方，如山东临清、河南滑县道口镇、河北故城郑口镇等。

天津开埠以后，华北商业格局的变化带来了华北城市格局的变化，铁路网的出现使一些新的城市崛起。1916 年，河北全省有 118 个商务分会，基本上包括了全省各县，大部分与天津有河运联系，沿河州县的商业因交通的便利而发展，其上级市场无不沿运河直接指向天津。同时国内外贸易的开展也使天津工业企业在困境中艰辛努力，寻找着自己的发展道路。

古文化街俯瞰

河海神祇
寄民愿

　　天津分布着众多的神庙，大致可分为佛教系统、道教系统和民间神祇系统，反映着民众的信仰状态。天津颇具河海特色的民间神有天后妈祖、平浪侯、金龙四大王等。而最受百姓信奉的天后妈祖正是随运河由南方传到了天津。

天津分布着众多的庙宇，大致可分为佛教系统、道教系统和民间神祇系统，反映着民众的信仰状态。《天后宫行会图》有一段文字："神圣若无灵佑保护，谁来进香？人若积德，有灾暗销，有难呈祥，事过以后才知暗中保佑。若无灵验，谁来烧香？谁来上供？谁来许愿？谁来唱戏？谁来敬神？谁来谢神？谁来出会？"天津人对待民间信仰竟是说得如此直白。

天津颇具河海特色的民间神有天后妈祖、平浪侯、金龙四大王等。

天津的民间神首推天后妈祖，妈祖最早产生于宋代，并受到之后历代朝廷的册封，是官民共祀、三教兼容的民间神。妈祖信仰是在天津聚落出现之初，随着元代海运漕粮由南方的船民传入天津的。天津建妈祖庙很大程度上是由于元政府的提倡。海上漕运风险极大，事故频发，损失惨重，后来随着船民海上航行经验的提高，损失逐年下降，元朝元贞年以后大部分年份海损率降到5%以下，皇庆年以后大部分年份海损率在1%以下。但船民和政府把海损率降低归功于海神妈祖的保佑。海上航行安全直接关系着漕粮大计，于是元政府不断给妈祖加封名号，沿海城市纷纷兴建妈祖庙。元泰定三年（1326），在天津大直沽和小直沽分别出现了一座妈祖庙。20世纪90年代末，天津曾发现一处元代天妃宫遗址，遗址就位于河东区大直沽中路。宋元明清各代朝廷都承认妈祖的地位，妈祖信仰从没有遭到过压制和禁止。作为天津最早的神庙，妈祖庙伴随着天津城市的发展。天津人习惯把妈祖叫娘娘，其实北方很多地方把碧霞元君和观音大士也叫娘娘，在天津则有三位一体的意思，天津的妈祖渐渐已经不是原汁原味的海神了。天津人的妈祖信仰掺入了更多的地方因素，如娘娘庙中的陪祀神有很多，

天后宫（《潞河督运图》局部）

充分展示了天津百姓的想象力和朴素的愿望，这些陪祀神有
王三奶奶、挑水哥哥等等。民间流传着"摸摸王三奶奶的手，
百病全没有""摸摸王三奶奶的脚，百病全都消"的俗语。
还有供在妈祖庙殿前的挑水哥哥，身材健壮，据说是专门挑
水以浇灭天花的，其实它就是天津城里挑水夫的形象。天津

人信仰集大成的活动就是祭祀妈祖的皇会，清代中后期，皇会中盐商的作用越来越大，游行队伍中盐商的八座台阁，占了整个皇会队伍的一半，大有压倒五座娘娘宝辇之势，反映了当时盐商借妈祖造势的现实。

大运河的兴旺还给天津带来了河神，最重要的河神是金龙四大王谢绪。据说谢绪是南宋王朝的外戚，本是浙江钱塘县人，宋亡后曾四方奔走，联络义士抗元，后因感到大势已去而投水自尽。传说在元末战争中谢绪多次显灵帮助朱元璋，因此明代追谥他为"金龙四大王"。清顺治朝到光绪朝二百三十余年间各代皇帝不断为之举行官方祭祀，最后形成了"显佑通济昭灵效顺广利安民惠孚普运护国孚泽绥疆敷仁保康赞翊宣诚灵感辅化襄猷溥靖德庇锡佑国济"共44个字的封号，竟然超过了妈祖。但是先到为君，后到为臣，金龙四大王始终无

南运河三条石地区大王庙（建于清乾隆年间，今已拆毁）

法撼动妈祖在天津的地位。纪念谢绪的大王庙大多集中在运
河沿岸，据粗略统计，从北京到杭州凡是县以上的地方就有
大王庙，在黄河、淮河沿岸也分布着一些大王庙。金龙四大
王已成为运河的主要河神。天津的大王庙约在清乾隆十一年
（1746）到乾隆十七年（1752）间建成，位于河北区三条石
附近南运河畔。天津天后宫里也供了一座金龙四大王的塑像。
可能明代以后的漕运不以海运为主了，妈祖的保漕功能就转
移给金龙四大王了。大王庙是漕帮在天津落脚的地方，天津
《直报》曾记载，每年春季北方开河，第一批南方漕船来津时，
漕帮都会带着"金龙四大王"的牌位，到三条石的大王庙举

行供奉仪式。后来大王庙在城市改造中被拆除。

另一位河神晏公，名戍子，江西临江府清江镇人，天津的晏公庙在城西北丁字沽靠近运河的地方。《三教源流搜神大全》描述："有灵显于江河湖海，凡遇风波汹涌，商贾叩投所见，水途安妥，舟航稳载，绳缆坚牢，风恬浪静，所谋顺遂也。皇明洪武初诏封显应平浪侯。"晏公也是沿运河传来的神，但影响不如金龙四大王。

天津还有一个小圣"平浪侯"，是天津本地的神。小圣名滕经，是河北省清河县滕蒿林村人，据说他能双手写字，目观八行，12岁为生员，当时号为神童。明嘉靖二十三年（1544），滕经乡试不第，归途中，在天津坠河而死，时年23岁，几个月后他在北运河显圣，被嘉靖皇帝封为北河平浪小圣。天津小圣庙，一座在河东盐坨，一座在闸口。明末崇祯时期（1628—1644）的小圣庙未必与河东盐坨有关，清顺治六年（1649），庙址才从河西移到河东盐坨，此后小圣庙与盐业的关系就愈加密切了。清康熙二十三年（1684），小圣庙重建，这时正是长芦盐运中心从沧州转移到天津的时期，也是河东盐坨地大发展的时期。来自芦台场和丰财场的盐到天津盐坨要走海路，并通过海河水系运往内地，盐坨的小圣庙符合保障盐路安全的需求，因此小圣其实算是天津盐商选中的，涵盖海运河运的盐运之神。

杨柳青古镇

沿着运河走四方的
年画

随着大运河的开通，在江
南深受人们喜爱的木版年画传

到了北方，落户天津杨柳青，形成独具风格的杨柳青年画。而天津城市的发展，又使得杨柳青年画形成产业规模，借着天津河流纵横的地利得以与各地交流，走向了更广阔的天地。

餘有 年蓮

莲年有余

杨柳青镇位于天津以西，明代初期大量的移民来到这里，逐渐成为运河边的名镇。杨柳青人来自四方，江浙尤多，随着大运河的修通，在江南深受人们喜爱的苏州桃花坞木版年画便传到了北方。一说年画世家戴氏先人自明朝永乐年间（1403—1424），携画业随漕运粮船北上，定居杨柳青，到戴廉增敬记老画店为止共传19代，历时五百余年。又一说，齐健隆画店与戴廉增画店齐名，齐氏先祖在明永乐二年（1404）由山东登州府内黄县城南十二里的齐家坞村迁居杨柳青西桑园村。可见杨柳青年画的起源兴盛与大运河息息相关。在戴、齐两家的带动下，杨柳青镇"相继出现了年画作坊一百多家，清乾隆年间（1736—1795），有十几家较大的作坊，每家有五十多个画家、二百多名工人，每年一家至少能印二千多件活（每件合年画500张），全镇年画从业人员多达三千多人"。

杨柳青年画的工序是先刻出木版，印出墨线"坯子"，再填色彩绘、装裱。杨柳青的老店除精品自行绘制外，大量的手绘工序分流到炒米店、张家窝、老君堂、古佛寺等南三十六村加工。杨柳青年画运销到北京以及西北、东北各地，年销量两千多件。20 世纪初，随着海河水系航运的开发、华北铁路网的形成，杨柳青年画打开了更加广阔的市场，通过"五河"（大清河、子牙河、南运河、北运河、蓟运河）口岸货船批发，年画可销到河北广大农村，并及东三省、热[①]、察[②]、绥[③]、陕、甘、新一带。出售的年画均打成大包，每包三千余张，东路交民船运至丰台（属丰润），再转往东三省、热河等处；西路由火车运至大同或归化城（今内蒙古自治区呼和浩特），再转山西、新疆等处，亦有运往陕、甘一带的。市场价值是支持年

---

① 热河，旧省名。
② 察哈尔，旧省名。
③ 绥远，旧省名。

居家快乐

画产业发展的硬道理。有市场，有销路，说明市场对产品的质量是认可的。杨柳青年画名声远扬，多地争相翻刻仿制品出售。北京多称杨柳青年画为"卫画"或"卫抹子"。

年画的主要题材是门神和各路神祇，像财神赵公明、关公，河神金龙四大王，戏班的梨园神唐明皇，水铺的井泉童子，木匠祖师鲁班

西青区运河两岸民居

等等，还有普通人家信仰的福禄寿三星、灶王爷灶王奶奶、碧霞元君、和合二仙等，后来年画中逐渐又有了表现吉祥、欢乐、掌故、戏出等内容的作品，几千年来中国人对福善、长寿、喜庆、富贵有着不变的追求。中国语言的特点是用同音字造成同音不同义的现象，利用谐音附会出吉祥寓意，逐渐形成固定的文化符号，如以"鹿"代"禄"，以"蝠"代"福"，以"鱼"代"余"等。还有一些文学性的喻义，如以榴结百

子喻子孙满堂，以松柏岁寒不凋喻长生等，这都是年画中最常见的题材，十分迎合大众的心理。在长达千年的传承过程中，年画形成了独具特色的形象表现手法，犹如生活民俗的百科全书，反映出百姓喜闻乐见的大情小事，堪称民间价值取向通过视觉形象的生动体现。

杨柳青年画中最具代表性的是画着娃娃抱鱼的《莲年有余》。鱼喻余，杨柳青年画中鱼的形象经常出现，如《渔人利得》《渔家乐》《鱼跃荷塘》《渔家多子》等。而表现农家乐的画面中经常有河，如《顺风得意》《渔樵耕读》《秋江晚渡》等。年画来自生活，杨柳青人历来就有经商的传统，年画中的《摇钱树》《聚宝盆》《发财还家》《沈万三迎财神》等题材，反映了当地的重商风俗。历史上杨柳青人有着赶大营的壮举，而赶大营的杨柳青人把年画也带到了新疆，创作出具有边疆特色的年画作品。

杨柳青年画的发展离不开紧邻天津的区位优势，天津是杨柳青年画的最大市场。天津人的需求对年画题材影响极大。如天津人有在水缸上贴缸鱼画的习俗，缸鱼就成了杨柳青年画的固定题材。《送子娘娘》《眼光娘娘》《大姐拴娃娃》都是与天后宫有关的年画题材。其中《大姐拴娃娃》中的挑水哥哥，反映了旧时天津市民生活中不可或缺的一个行业——水夫。天津对杨柳青年画的影响更体现

渔樵耕读

在近代题材中，如《女子自强》《太平军北伐图》《火烧望海楼》《天津北门外新马路全图》《天津河北新浮桥》《天津图》等，这些以重大历史事件或城市新面貌为题材的年画，反映出画匠紧跟时代步伐，追踪市场的敏感性。有一首流传极广的民歌《画扇面》在北方各地有着十几种版本，但开始几句基本都是"天津卫城西杨柳青，有一位美女白俊英"，一首民歌把杨柳青的白大姐唱遍了华北地区。民歌的流传地区与杨柳青年画的传播地区十分吻合，两者无疑有着内在联系，可以说杨柳青年画实际是天津文化辐射的载体。杨柳青年画中戏出类也占很大的比重。戏出类年画刻画的都是戏曲舞台上有限空间的场景，如《三岔口》《定军山》《拾玉镯》《贵妃醉酒》等脍炙人口的剧目，都在年画上体现得惟妙惟肖。观画者熟悉舞台，从年画引发出美好的联想。这与天津戏剧舞台的蓬勃发展不无关系。戏出画不分剧种，满足了各地民众的审美需求。旧时大量普通民众，就是靠这些戏出画，满足精神世界，获得知识，明晓道理。

　　杨柳青年画不断吸收各种优秀的画法以丰富自身的技艺，如著名画师高桐轩曾入北京皇家画院如意馆，借此他吸收了不少宫廷画法，创作出很多年画精品。海派代表画家之一的钱慧安受杨柳青齐健隆、爱竹斋诸画铺相邀，从

天津北门外新马路全图

上海乘船至杨柳青为各画铺绘制年画样稿，带来了南方的技法，杨柳青年画因此吸收了文人画的诸多因素，令人耳目一新。南北绘画艺术的交流，为杨柳青年画带来新的营养，使其更上一层楼，成为国内诸多年画品类中的佼佼者。

　　天津城市的发展，为年画提供了巨大的市场，使杨柳青年画形成产业规模，同时城市生活也引导了年画的题材，提升了年画的质量。天津河流纵横的地利使杨柳青年画得以与各地交流，广泛吸收各地的艺术营养，而使年画更加广泛地流传开去。

鼓楼

南北交流大舞台
唱红津门八面风

　　天津是运河的大码头，水陆交通便利，北近都城，受北京的文化熏陶；南临海路，通上海的开放之风；海河水系内接地气，包容了南腔北调，让各地剧种在天津得到了磨炼升华。

天津是运河边的大码头，不仅是人流物流的大码头，也是戏剧曲艺的大码头。明崇祯八年（1635），戏曲家祁彪佳辞官南归，船过天津城的时候，入城看戏，看的是杂剧《白梅记》《东坡梦》，这是关于天津演戏最早的记载。一百年后的 1735 年，又记载了文人商盘观戏水西庄的情形。这段记载出自《清稗类钞》，描述商盘路过天津水西庄时，查为仁以私人戏班演戏招待他，这是一场天津大盐商私宅内的堂会。天津传统的会馆一般也都有戏台，而民间的主要演出场所则是在茶园。清道光四年（1824），天津诗人崔旭记载："戏园七处赛京城""伶人寓此者五十余家"。清光绪十年（1884）的《津门杂记》记载各处的天津戏院位置：庆芳园在东城外袜子胡同，金声园在城内鼓楼北，协盛园在北门外侯家后西，袭胜园在北门外大关桥口以西。这是关于四大茶园最早的记载。旧时的茶园里常聚集三教九流，各色人等，满园的人不向戏台看，反而"看座后者人数壅塞"。当时真正唱戏的倒常在非正式演出场所表演，即所谓搭桌戏，就是在大院里临时搭台，摆设桌凳而演的戏。四大茶园往往倚仗官方的关系，极力压制在别处搭桌演出的戏班。

1900年庚子事变前，受上海的影响，天津的戏曲演出向以演员和戏班为中心转变，演出场所随之越来越多，四大茶园的优势已不复存在。天津成为各地戏班纷至沓来的宝地。明星的号召力成就了天津舞台的繁荣，著名戏班和演员在北京、天津、上海等大城市巡回商演的局面逐渐形成。

同时随着城市人口的迅速增长，天津的演出市场规模扩大，不仅包括戏曲，还有其他品种表演品类。茶园的数量越来越多，这些新增的茶园主要分布在老城里及周围的河北大街、南市、南开、河东等地；打把式卖艺，撂地打场子的场所则在西门外、北门外一带；八国联军占领天津以后，原来最热闹的商业中心侯家后一带，受到较大的破坏，随着租界区的扩大，商业中心逐渐向法租界转移，因此这也造就了一些游艺场所的诞生，其中最著名的就是租界与旧城之间的"三不管"地区——南市。民

今日三岔口

国以后，天津的说书场如雨后春笋，遍布城市各个角落。20
世纪 30 年代前后，天津又新建了几座专门演京剧的戏院。
著名的有春和戏院（今工人剧场）、天华景戏院（劝业场四

楼）、北洋大戏院（今延安影剧院）和中国大戏院等。据中华人民共和国成立初期统计，天津全市从事戏曲演出的大小茶园、剧场竟有二百多个，数量居全国第一。

天津观众群的多样性，造成了天津演出市场的多样性，这使得各个剧种在天津都有一个良好的成长生态，而演出市场的规模和性质，对戏曲的发展必然产生重要的影响。清朝初年，北方存在四大剧种，即南昆、北弋、东柳、西梆。北京舞台上基本上是昆曲占优势，皇家的好赏引领了北京的戏剧主流风向。清乾隆五十五年（1790），徽班进京，北京开始了花、雅的消长之争。当时人们奉昆曲为正声，即雅部，昆腔以外的地方戏统称为"花部"或"乱弹"，包含梆子、皮黄、弦索等各样新兴剧种。随着时代的变迁，昆曲因节奏缓慢、剧目老化，渐渐让观众产生审美疲劳，到清代道光年间（1821—1850），观众对于昆曲的演出已经有些不耐烦了。这个时候，京剧进入了观众的视野，恰逢其时。京剧虽然不是起源于天津，但其嬗变天津起到了不可忽视的作用。《清稗类钞》中说："京师诸伶多徽人，常以徽音与天津调混合，遂为京调。然津徽诸调，亦均奉二黄音节为圭臬，脚本亦强半相同，故汉津徽调皆可通。"

当京剧逐渐成熟时，出现了时人所称的"同光十三绝"，其中号为"天下第一丑"的刘赶三就是天津人。另外，被尊为"伶界大王"的谭鑫培在清咸丰年间（1851—1861），也随父来到天津，后又入京到金奎班习武生，四年业满出科后，仍回天津随父卖艺。京剧名角中的天津人还有孙菊仙，他原为票友，后加入科班，师从程长庚，因其演唱风格洪亮潇洒，曾十分受慈禧欣赏，被招入清廷内务府升平署为内廷供奉，并赐四品顶戴。

京剧无疑是天津的第一大剧种，天津的观众也以懂戏、严格闻名，当时民间有"北京学戏，天津唱红，上海赚钱"的说法。京剧产生的中心在北京，顶尖的科班在北京，但要想在舞台上扬名立万，却必须获得天津观众的认可。天津的观众似乎比北京的观众更加不留情面，更乐于直接表达好恶。传说著名老生刘鸿升在天津演《斩子》时，有一个高腔没唱上去，观众竟把茶壶茶碗飞到了台上。天津京剧科班虽不如北

鼓楼旧照

京多，但也有可说之处。清末时期，天津有一个小吉利科班，常以京剧、梆子同台演出，俗称"两下锅"，并以武戏见长。另一个有名的天津戏班是1936年成立的稽古社子弟班，在天华景戏院排练演出。虽然天津科班少，但是票友很多，有些地方官员本身就是戏迷。像曾为直隶总督的杨士骧就酷爱戏曲，"终日酣嬉淋漓，彻夜不休"。名丑刘赶三也是先在天津做票友，后来才到北京"下海"。再有前文提到的老生演员孙菊仙亦是天津的票友出身。民国以后，北京许多懂戏的遗老遗少、八旗子弟跑到了天津，是促成天津京剧界票友多、行家多的一个重要原因，同时天津城市经济的发展也支持了天津票房林立的局面，很多大型企业甚至有自己的国剧（即指京剧）社，如开滦矿务局的开滦国剧社、北宁铁路局的宁园国剧社、天津电报局的国剧社、永兴洋行的永兴国剧社等。

清同治年间（1862—1874），京剧艺术通过天津开始落户上海。上海人的欣赏习惯不同于京津地区，《清稗类钞》评论："北人重艺，南人重色而已。北人于戏曰听，南人则曰看。"上海并不培养名角，而是引进出色的艺人，将他们培养为明星，因此上海戏院付给角儿们的报酬很高，甚至超过了他们在北京一年的收入。天津的演出市场也效仿上海，很快走向了"明星制"，名演员的收入大幅提升，所谓"上海挣钱"就是这么来的。

除了京剧，天津也以包容的心态接纳了来自其他地方的剧种，它们在天津蓬勃发展，扎下根基，获得广泛的群众基础。

河北梆子是从山西、陕西梆子脱胎而来的，它的源头是历史悠久的秦腔，其高亢激情的唱腔，特别符合北方观众的情绪。北京最初是排斥梆子演出的，天津则比较包容，据说在清乾隆年间梆子就传入了天津。商路就是戏路，来津经营钱庄的山西商人喜欢听乡音，常邀山陕梆子艺人来津演出。在天津，经常有京剧与山西梆子、河北梆子同台"三下锅"的演出现象。到了清光绪年间（1875—1908），华北地区的河北梆子戏班已经遍地开花了。这些地区都属于海河水系，与天津有着密切的文化联系。在不断的发展中，河北梆子形成了不同的流派，流行于北京的称为"京梆子"或"老派"，流行于天津卫的则称为"卫梆子"或"新派"。天津可以说是梆子发展的大本营，"卫梆子"不仅成了河北梆子的主流，还从这里走向全国。河北梆子早期出现的一些名演员基本都是男性，如何达子、元元红、田际云、响九霄等。到庚子事变以前，天津梆子舞台上出现了女演员，京剧进入上海时，天津的梆子女演员已先一步进入上海了。女演员的出现使河北梆子在京津舞台风光一时，当时甚至出现了"坤角不敌刘

杨柳青镇步云桥

喜奎（梆子名角），男角不敌梅兰芳"的说法。

相比于京剧与梆子，评剧还是个小朋友，纯粹是近代崛起的草根剧种。20世纪初评剧才形成，但是到了二三十年代就俨然成为与京、梆比肩的大剧种了，可谓后来居上。评剧源于河北的地方说唱和小戏，如莲花落、蹦蹦戏等，其间的传承关系说法不一。至迟在1904年，天津还在演出蹦蹦戏，而来自永平府的蹦蹦戏正是东路评戏的前身。评剧的形成必然要提到一个人——成兆才（艺名东来顺），成兆才的艺术生涯与天津息息相关。天津汉沽区志记载："宣统元年（1909）春，莲花落艺人成兆才、月明珠等被赶出天津，来汉沽谋生。灶首张廷惠为其置办戏箱，在张家祠堂演出，组成庆春莲花落班，主演成员有成兆才、任连会、任善庆、月明珠、张化文、余钰波、张德礼等，在汉沽演唱两年。"在此期间，成兆才彻底改造了莲花落，吸收各路唱腔，丰富了角色，剔除了低俗的内容，将大多剧情的第三人称改为第一人称，由演员扮演剧中人，吸收了河北梆子的全套伴奏乐器，几年后以"京东庆春班平腔梆子戏"的名义再度进入天津。成兆才除了把传统剧目改编成大戏外，还创作与时俱进的现代题材剧目。他充分发挥评剧通俗的特点，使评剧成为最接地气的剧种。根据1918年直隶滦县农家女杨国华（杨三姐）不畏强权，为其二姐申冤告状的真实故事，成兆才创作了《杨三姐告状》，首演一炮打响，从此长演不衰，成为评剧的代表作。当时这出戏在天津上演后，不但市民津津乐道，查办此案的警察厅厅长杨以德更是为它大开绿灯。20世纪20年代，天津评剧舞台上陆续涌现了一批名演员，如芙蓉花、白玉霜（李桂珍）、喜彩莲（张素云）等。

天津还有其他一些外来剧种，如辉煌一时的昆曲，相对小众的弋腔，但在天津的演出并未形成主流，对昆曲的提倡和研究主要还只存在于政界、教育界、文化界的知识阶层中。

天津这样的大城市，水陆交通便利，北近都城，受北京的文化熏陶；南临海路，通上海的开放之风；海河水系内接地气，对于南腔北调的剧种都有包容性，是极好的交流借鉴的场所。虽然天津不是上述那些重要剧种的发源地，但因其人口来源复杂，观众见多识广，品味多样，让天津成为这些剧种磨炼升华的基地。资深的戏迷往往喜欢在了解剧情，甚至在熟悉唱腔的情况下，更侧重鉴赏演员的表演水平，从而对演员形成压力，督促其不断提高艺术水平，这就是"天津唱红"的舞台真谛所在。

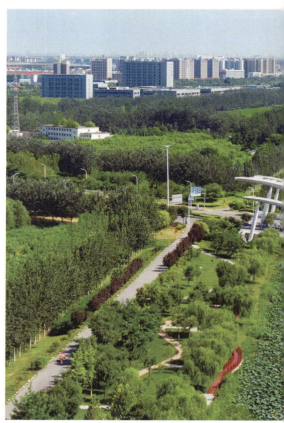

武清区广贤路北运河桥

大鼓单弦
相声评书

　　运河之旁的天津不仅是戏曲的大码头，也是曲艺的大码头。借着南北运河花落天津的各家曲种，在天津的舞台上融合借鉴，竞争磨砺，推动了曲艺艺术的繁荣精进。

运河之旁的天津，有着开放的大环境，人员流动频繁，带来各种文化的碰撞，从而造就了天津人兼容并包、幽默爽朗的性格。像许多来自北京的曲艺形式，原来诞生于贵族子弟的自娱自乐，到了天津以后，同样获得了平头百姓的喜爱，内容形式更趋向于世俗化、大众化，在天津发扬光大起来。

20 世纪初，灾害频仍的华北农村，有一技之长就有一条谋生之路，所以像天津这样迅速崛起的大城市，必然是江湖艺人首选的目标市场。天津成为各地曲艺艺人百花齐放的大本营。

在通向天津的海河支流上（南北运河、上下西河），流动的人群和繁荣的商贸活动，带来各地的方言和曲艺，河间的木板大鼓沿运河而来，渐渐演变成为诸多北方鼓曲形式，包括西河大鼓、京韵大鼓等都传承于木板大鼓。木板大鼓在刚进入北京、天津地区之初被称为"怯大鼓"，在天津也被叫作"卫调"。

河北深县人刘宝全，以北京的语音声调来吐字发音，将河间方言改为北京方言，说京白、唱京韵，吸收石韵书、马头调和京剧的一些唱法，创制新腔，将怯大鼓改造成了京韵大鼓，成为京津地区最有影响的曲种。20世纪20年代是京韵大鼓发展的鼎盛时期，形成了以刘宝全、白云鹏、张小轩为代表的三大流派。20世纪30年代崛起于天津鼓坛的骆玉笙（小彩舞），吸收刘、白等人之长，结合自身特点，形成自己的艺术风格，特别是在低音方面，吐字真切，声腔清楚，为一般女艺人所不及，被誉为"曲坛女鼓王"。西河大鼓的起源同样要追溯到子牙河流域河间府的木板大鼓。20世纪初期的河间府是著名的水路商埠，且临近天津，因此来往客商甚多。天津人习惯称大清河为西河，这个源自河间，顺着大清河进入天津的曲种，便被称为"西河大鼓"。西河大鼓的创始人一般认为是木板大鼓艺人马三峰，俗称马三

俯瞰今日南运河

疯子，他最早将西河大鼓带到天津和北京。西河
大鼓进入天津后，最初在西城根儿一带撂地说
书，后来才移进说书棚。另外，在天津流行的鼓
曲还有京东大鼓、铁片大鼓等，它们都来自海河
的支流，即南北运河、上下西河一带的乡村，同

样是木板大鼓的变种。

　　山东省也有一些曲种通过南运河传到了天津，如产生于临清一带的快书（即山东快书），因为经常表演的段子多是好汉武松的故事，所以这种快书也叫"武老二"。另外还有山东柳琴书等，不过影响力稍小，不及快书。

河南省的漳卫河与南运河相通，河南的漕运一直维持到18世纪末，与天津的经济联系十分密切。河南流传到天津并且影响较大的曲种首推河南坠子。其代表人物乔清秀在曲调上广泛吸收当时天津流行的戏曲、鼓曲、歌曲甚至数来宝等艺术种类的唱腔、韵律，在演唱中灵活运用京音、津音与河南方言，对河南坠子进行了城市化改革，使河南坠子在天津风靡一时，乔清秀也被誉为"坠子皇后"。

天津还有一些曲种来自于北京，如单弦，为八旗子弟所创，因演唱时用八角鼓击打节拍，所以又名八角鼓。唱子弟书的石玉昆被称为"单弦之祖"，据说他就是天津人，但是真正让单弦在天津站住脚的是一个叫荣剑尘的人。1926年前后，荣剑尘第三次赴津，在南市燕乐升

北运河与子牙河交汇处

平演出单弦，一炮打响，誉满津门，从此被称为"单弦大王"。梅花大鼓和子弟书也来自北京。子弟书有东城调、西城调之分，清嘉庆年间（1796—1820），子弟书西城调就已传到天津了，道咸年间西城调在天津十分兴盛。后来西城调经过和天津当地的语音及民间曲调进一步结合，在天津形成了一个新的曲种，叫"天津卫子弟书"，之后又演变出一个"西城板"的曲种，但终因曲高和寡，1935年以后逐渐湮灭无闻。

评书与相声同是语言的艺术，为普通百姓喜闻乐见。20世纪初，评书"道活"由北京传入天津。百多年来，天津曾出现了不少优秀的评书演员，如陈士和、张杰鑫、常杰

耳闸北运河

森、顾存德、姜存瑞、刘立福等。评书最繁荣时天津有书场一百六七十家,堪称一时之盛。相声的前辈通常都往来于京津之间,演出授徒,20世纪30年代,天津的相声迈进剧场,进入了成熟时期,像南市东兴市场的连兴茶社和东北角的声远茶社,都是相声演员集中活动的场所。这一时期天津出现了一批著名的相声演员,如马三立、马四立、常宝堃、赵佩茹、

郭荣起、朱相臣、刘奎珍、阎笑儒、史文汉、尹寿山、于宝林、耿宝林等，侯宝林那时也曾到南市的燕乐茶园演出。

　　天津的舞台是各种曲种融合借鉴的场所，也是演员竞争磨砺的场所。天津的观众兴趣爱好广泛，少有地域偏见，凡是好的艺术都能接受。曲艺艺术在天津不断融合与升华，始终处于良性的动态适应与发展之中。

南运河天津段 0 千米处

天津的武术
不是武侠

天津是传统武术文化的荟萃之地。这座城市为运河两岸的武术家们，构建起一展所长的舞台。武术作为起源于民间、植根于民间的国粹，在天津以超出人们想象的普及程度，表现出强大的生命力。

自明代建卫以来，天津就具有十分鲜明的军镇特色，民风强悍，民众有尚武之风。

明万历年间，徽州有一位武术大师名叫程宗猷（字冲斗），曾在少林寺学艺十余年，他所著的《少林棍法阐宗》至今仍被武术界奉为经典，明末的军事家茅元仪曾将此书收入其编纂的《武备志》中。明天启年间（1621—1627），时任天津巡抚的李邦华大力整顿军政，并招募武术人才以操练军队。他听说了程宗猷的名声，就派人携重礼聘请程宗猷，并托程宗猷家乡休宁县的知县侯安国相助劝说，但程宗猷坚决不肯接受聘任。侯安国大怒，斥责程是"食肉糜、饱糟醨无用之匹夫"，大概意思就是骂程是酒囊饭袋。程宗猷被激怒了，于是同父兄带领着 80 名家丁，自携粮饷沿运河北上赴天津投军。到天津后，程宗猷被授了官职，做了许多实事。李邦华曾感慨说"宗猷所携子弟兵虽仅八十人，可当数千之用"。这个关于程宗猷的故事，当是少林武功传入天津的最早记载。

天津不仅是戏剧与曲艺的"风水宝地"，

这座城市也为运河两岸的武术家们，以及杂技艺人们提供了谋生的场所，构建起一展所长的舞台。像河北吴桥的杂技班就曾在天津广开新三不管地区搭棚表演；功力门大师霸州李——李茂春，20 世纪 20 年代也曾在南市三不管撂地卖艺，后来又开设武馆收徒传艺。天津的武术界如同天津城一样，体现着五方杂处的特色和兼容并包的心胸，这里有江湖游侠、武林高手，也有大大小小镖局中的镖师们。清末的天津，商贸活动繁荣，票号林立，基于商业交通安全的考虑，镖局自然不可或缺，天津的镖局是以民间武师为主的。这些武术界人士汇聚津门，相互切磋，在天津掀起了学武的风潮。据《天津通志》的体育志统计，20 世纪二三十年代以后，天津不同规模的武术馆社多达 128 个，仅拳种就有46 种之多，主要拳种有太极拳、形意拳、八卦掌、八极拳、通臂拳、拦手门、迷踪拳等等。其中太极拳在天津就有杨露禅的杨氏、吴全佑的吴氏、武禹襄的武式、孙

旧时北运河边的人家

禄堂的孙氏、李瑞东的李氏等几个流派，还有迷踪拳更是源远流长，据说是清康熙年间，山东人孙通于少林寺中学得此拳，晚年到天津静海授徒，使迷踪拳落户天津。天津武术名家霍元甲的曾祖就是孙通的高徒。

近代天津不仅是商业城市、文化之都，更是军事重地。

在天津，无论是传统的旧式军队，还是后来组建的新军，都把武术作为军事训练的重要科目，并聘请拳师担任教习。如1890年，拳师李存义曾在刘坤一帐下教习士兵，1895年，号称"神枪"的李书文被袁世凯聘为新建陆军武术教习。

19世纪末，天津的民间武术曾一度遭受到极大的抑制，但是民间练武的仍然大有人在，后来成为武术大师的霍元甲、李书文、李瑞东、张占魁、韩慕侠等人都是在这一时期练功不辍而走向顶峰的。当时民间流传着许多中国武术家与外国人比武大胜的故事，常为百姓津津乐道。如霍元甲吓跑西方大力士奥皮音，韩慕侠北京挫败俄国人康奈尔等，在当时的情势下，起到了激励民族斗志、提升民族自豪感的作用。

霍元甲，字俊卿，1869年生于天津静海县小南河（今属天津市西青区）。他善于集各家之长，汇各派精粹，将传统的迷踪拳发展为迷踪艺。霍元甲创立了中国精武体操会，是中国武术界的一代宗师，也是中国武术界的传奇人物。虽然他成名立万是在南方的上海，但是厚积薄发、潜心磨砺却是在天津这片武术的热土上。

韩慕侠，1877年生于天津静海县独流卫南洼大白村，原名韩金镛。他学过八卦掌、形意拳，曾只身到各地拜访名师高手，苦练武功，担任过南开学校的武术教练，周恩来曾是他的学生。1925 年，韩慕侠受张学良之邀，出任 16 军千人武术团教官兼团长。他训练的大刀队被编入宋哲元的 29 军，在 1933 年喜峰口之战中大显神威。

李瑞东，出生在运河边的武清，青少年时期随武术大师李老遂学过戳脚拳法。后来得到大刀王五传授，学习"山东教门弹腿"，之后又拜杨露禅大弟子王兰亭为师，他还曾向董海川学过八卦掌，堪称精通各家之长的武术大家。

张策，太极通臂拳大师，他是运河附近的香河马神庙村人（今属天津市武清区），1928 年第一次武术国考时，他曾担任裁判。

天津不仅拥有众多的武术名家，武术在天津更有着深厚的群众基础。1909 年，在河北武术家李存义、刘文华的推动下，教育家张恩绶与同乡杜晓峰在天津建立了军人会，以开展武术交流活动；1910 年，河北沧县武术家马凤图受同盟会燕京支部之命与同盟会人士、形意拳大家叶云表等创办了中华武士会，该会以团结武林人士、进行武术研究、培养武术人才、振奋民族精神为宗旨。

1911 年，中华武士会在天津河北区三条石自治研究所内召开第一次筹备大会，推选叶云表为会长，马凤图任副会长兼总教习，李存义任教务主任，李瑞东任名誉总教习，后来还先后邀请八极名家李书文、霍殿阁，形意名家郝恩光、李

静海镇运河

玉林等来会任教。中华武士会成立后影响很大，当时流传着"南有精武会，北有武士会"的说法。1918年6月1日，天津博物院在河北公园召开成立大会时设立武术表演环节，以中华武士会为主体，北方各省六十多个门派、三百多位武术家参加了表演。这次武术表演无论是在规模上还是在参加者的水平上，都可称得上是一次北方武术的大检阅，反映了当时天津武术界蒸蒸日上的状况，也说明了武术在天津的普及程度，而这与中华武士会对武术继承发扬的努力是分不开的。

因为武术的技能性和传奇性，历来在百姓心中有着几分

南运河边的钓鱼台

南运河上仅存的老木桥

神秘色彩，因此不可避免的，武术成为民间说书人十分热衷的主题。许多武侠小说精品，如《三侠五义》《七侠五义》《小五义》《儿女英雄传》等，都是在民间说书的基础上形成的。在尚武氛围浓厚的天津便出了几位现代武侠小说名家。像家住西沽的郑证因，自幼喜爱拳脚，擅使九环大刀，还学过太极拳，堪称是一位懂武术的小说家。1941 年，他的《鹰爪王》在天津《369 画报》上连载，深受天津百姓欢迎。著名武侠作家宫白羽虽然不会武术，但他勤于向郑证因请教武打招式，他创作的武侠小说《十二金钱镖》获得成功后，又相继写出了《血涤寒光剑》《武林争雄记》等二十余部武侠小说，成为北方著名的武侠小说大师之一。还有一位天津作家李寿民，以"还珠楼主"为笔名写成的《蜀山剑侠传》，是武侠小说史上一部里程碑式的作品，后来他还撰写过其他小说，但都不及《蜀山剑侠传》影响大。当然，文学不免虚构，这些武侠作品往往把传统武术神化成超凡入圣的大能，其实与真实的武术已相去甚远了。

武术在天津经历了几度起伏兴衰的坎坷历程，渐渐呈现体操化的倾向，逐渐由专门的功夫传承变成了面向大众强身健体的体育形式，它与近代传入天津的西方体育文化一起，成为学校体育课的课程以及军队操练的科目。从战场格斗到体操健身，从套路表演到擂台竞技，从民间故事到武侠神话，在不同的历史时期，人们对传统武术的基本价值取向呈现出不同的表现形式。

天津是传统武术文化的荟萃之地。武术作为起源于民间、植根于民间的国粹，在天津以超出人们想象的普及程度，表现出强大的生命力。

芥园水厂

好瓜好菜
好鲜花

　　一方水土养一方人，天津的运河沿岸水肥
地美，沃野平阔，小站稻油润香浓，四大蔬菜
名产——大白菜（青麻叶、白麻叶）、卫青萝卜、
洋葱头和卫韭味美质优，声名远播，更不乏"小
园相与大园邻，相逢都是卖花人"的繁花盛景。

南运河标牌

　　一方水土养一方人，诸河冲积而成的天津平原，河流两岸沃野平阔，肥沃的土壤非常适合种植粮食蔬菜。

　　天津有大面积的水稻土，土壤质地黏重，养分高，从明代起，历任地方官员就开始加以利用组织屯田开垦，效果十分显著。到晚清时，官府进一步总结前朝经验，继续在海河下游垦荒种稻。当时崇厚主政三口通商并任直隶总督，他在海河左岸的邢家圈、卧河一带开挖东、中、西河，开始了在幺六桥和军粮城的水稻种植，这就是后来天津东丽区的排地开发之始。何谓"排地"？就是以今京山铁路与中河垂直相交之处为中心点，呈一个"十"字把土地分为四块排列，故称"排地"。这里河水淡甜，以有机肥为主，所产水稻的米粒大而圆，且油腻润滑，香味浓郁，堪称米中上品。排地的水稻种植比今天天津津南区的小站稻培植还要早。到李鸿章出任直隶总督后，他把自己的亲军周盛传部的盛字军9 000人由临汾调到天津。为了解决军队给养问题，驻防天津的第二年，周盛传便沿袭前人屯垦的经验，开始进行水田开发。他先修成了从马厂到新城的大道，沿途设四个大站、11个小站，又从新城的护城河挖出两条引河，圈地万余亩，引海河水加以灌溉。1875年，周盛传又以新农镇（今小站镇）为中心在咸水沽、新城、泥沽一带开挖了一系列的引河，形成了北至海河、东至新城、西至西小站、南至中堂洼的农田区，前后历时六年，官屯种稻六万余亩。南运

马家口村

河的甜水改造了当地的盐碱地，使得这里产出了著名的优良水稻品种——小站稻。而参加屯垦的军民也逐渐在后营、小站等地定居下来，形成了村镇。

潮土，多分布于天津的宝坻、武清、宁河、静海等各区，是天津土壤面积最大的土类。潮土直接发育在河流沉积物上，

受地下水影响，经耕种熟化而成，是天津农业大发展的基础条件。清末有史料记载说，运河两岸和西河两岸的土地十分肥沃，适宜种植蔬菜果木，尤其是西青区运河两岸200到500米的范围内，耕层深厚，能达到25到30厘米，土壤颜色灰暗，养分丰富，当地称此处为"御河沿"或是"老园子"。

御河沿的土就是潮土,这里种植的蔬菜有茄子、韭菜、葱、蒜、菠菜、豆荚、黄瓜、白菜、萝卜等,品类十分齐全,不仅能供本镇吃用,还能运到天津市区内销售。其中尤其是萝卜和白菜两种,质优味美,远近驰名。除了应季蔬菜,早在清末,天津就开发出了北方的反季节菜。据说清同治年间,芥园(位于现在天津的南开区)附近有个姓朱的老农,以种花种菜为生。一个冬天,朱老农发现自家花窖中一堆废土上长出了黄色的韭菜,一尝十分味美,这件事他"奇珍视之,密不告人",悄悄把这反季韭菜——"韭黄"卖了好价钱。后来事情慢慢传了出去,大家纷纷仿效,到清光绪中期,天津已经普及种"韭黄"的技术了。到民国时期,天津形成了四大蔬菜名产,即大白菜(青麻叶、白麻叶)、卫青萝卜、洋葱头和卫韭。

天津地区土壤肥沃除了水土的原因,也受益于城市有机粪便对土壤肥力的催生。近代以来天津周边曾经有许多粪场,随着城市的空间发展和人口的增加,周边的粪场被城市侵占,变成市区,回溯一下天津的老地名,市区有不少地方就有着曾是粪场的痕迹。市内大街小巷游走的粪夫,从千家万户收集起粪便,或从街道上拾起城市居民随地便溺的粪便,运至粪厂,再由南运河上的船只将之运到运河沿岸的城郊乡村。在20世纪30年代,天津出现了两个粪业的组织,一个是天津市清洁业职业工会,还有一个为天津市肥料业同业公会。

到 1950 年有统计数据表明，天津红桥区内有照私营粪商 31 户，晒粪场 92 处。整个天津市有两千左右的"磕灰人"，每天把全市产约四千筐（每筐约七十斤）的粪便供应给农村。

天津的南运河沿岸水肥地美，适合种菜也适合种花。天津的"花乡"多在城西，西门外原有一个很大的花卉市场。清末时的天津城西，指的是延伸到西大湾子以西的双忠庙、永丰屯一带，附近水西庄、宜亭等大户人家的园林，种花养花更是由来已久。此外，位于今天南开区咸阳路和芥园道一带的大园、小园、大觉庵、小侯庄、坊庄、霍家坟等地，地名虽然大多已经消失，但往回追寻，也都曾是天津的"花园"，老天津竹枝词中曾有"小园相与大园邻，相逢都是卖花人"的诗句。天津的花卉销售主要是由花农挑担进城，或是走街串巷叫卖，或是集市设摊销售，另外，还有的是花店经营。挑担子卖花的多是以串串红、星星草、茉莉花等价廉花草为主。如若是

天津博物馆藏《水西庄修葺图》局部（田雪峰绘，1847年）

在庙会集市上，则有春丁香、夏月季、秋菊花、冬腊梅等贵些的品种。天津历来就有赏菊的传统，清朝初期诗人金玉冈有《永丰屯看菊》诗："独坐秋烟古井旁，井泉澄澈道心凉。数枝野菊浑无主，向我临风着意黄。"水西庄主人查为仁也有诗："有客番舶来，赠我数本菊。云从酿整来，奇商种所独。"由诗中可知，清代的水西庄曾经引进过国外的优良菊花品种。

　　天津城外西南方还曾有过一处养金鱼的地方，范围在今南开区西市大街与长江道之间靠近青年路一带，以前这个地方曾出现过金鱼池胡同、邓家鱼池胡同等地名。最初的形成

据说是一些外地的逃荒者在天津城外西南搭起窝铺，靠养鱼
为生，渐渐有了十余个放养金鱼的坑塘群。从清末到民国初
年，这里已有专售金鱼的店铺二十余家，生意十分兴隆。当
然同其他地方一样，这里挑担流动售卖小金鱼的商贩也很多，
吆喝起来很有特色。清朝中期，城西二道街子有个"金鱼张"，
靠贩卖金鱼发家，成为富甲一方的富豪。卖金鱼而能致富，
也从侧面反映出天津民间的娱乐风尚，文人汪杭就曾有诗描
摹此情："元日晴光画不如，灵慈宫外斗香居。琉璃瓶脆高
擎过，争买朱砂一寸鱼。"

水患下的
天津今夕

自古以来华北地区
就水患频仍。1979 年，
大规模根治海河的工程
历时十余载终于完成。

独流减河进洪闸

海河流域上游地区续建、扩建、新建大中型水库三十余座；中下游地区开挖子牙新河、滏阳新河、永定新河等 53 条骨干河道；同时修筑防洪堤 3 260 千米。从此天津再无洪水淹城之患。

自古以来华北地区就水患频仍，到降雨季节，便极易形成洪涝。无论是海河哪条支流上游洪水泛滥，对天津来说都是灭顶之灾。

近代以来，天津城市工商业发展，集聚起大量的财富，而城市越发展，水灾带来的损失越大，造成的影响越深重。在老天津人的记忆深处，最难忘的就是1917年和1939年的两次大水淹城。1917年7月，在不到一周时间里，华北地区连降两次大面积暴雨，第一次为7月17—18日，第二次是7月24—25日。整个太行山东侧南起新乡、安阳的卫河，北至大清河即燕山南

运河大堤

麓，都受到大暴雨的"洗礼"，天津、保定受灾最重。此时的天津还没有建设围堤等基础设施，良王庄与杨柳青之间的南运河连续决口，大水疯狂地漫入城内，瞬间使天津城南变成一片汪洋。9月24日夜，洪水从多伦道、南市等处涌进天津市区，天津西南部全部淹没，河北大街以及大舞台至南市南部尽成泽国，据载"大公报社前水至铁轨，深一尺余，对面水二尺。四面钟水深三尺，一望无涯"。9月26日，水势从西南角持续扩大，向外逐渐蔓延，京汉、京奉、津浦等铁路及桥梁通被洪水冲断，交通全面瘫痪。汹涌的洪水直至11月份以后才渐渐退去。这场大水灾给天津和直隶地区的百姓带来了沉重的灾难。天津是直隶赈灾的中心，每天都有大量灾民逃难而来，据《益世报》统计，难民总计男女老幼竟有55 399人。时隔22年，到1939年的7、8月间，旧事重演，天津再次开启连降暴雨模式，海河流域各支流河水骤涨，堤防决口，洪灾再现。7月20日下午，天津海光寺附近的墙子河堤防决口，洪水自今南门外大街、鞍山道、沈阳道等地侵入市区。21日，海河金汤桥水面位高程5.83米；24日，市区内水面高程5.80米，河里河外都是水，水面几乎齐平，天津市百分之七八十的街道水深一至二米，和平路上可以行舟。当时天津有五处地方受灾较为严重：小刘庄、土城、东楼、谦德庄和佟楼等周围地区，天津英、法、日租

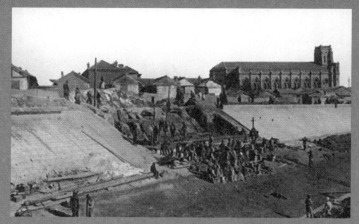

海河裁弯施工

界等周围地区，天津老城的南市、广开西南城角等周围地区，
大直沽、大王庄、唐家口、东局子、沈王庄和郭旺庄等周围
地区，李公楼、凤林、合浦各村和西南隅等周围地区。这次
大水比 1917 年的大水要严重得多，全市 80% 的面积遭到水
淹，水深也超过了当年的一倍以上。洪水持续了一个月，至
9 月底才退尽。有资料统计，当时灾民人数达到 58 万之多。
水灾过后，天津又遭到霍乱、伤寒和痢疾等病的肆虐，百姓
生活在水深火热之中。

中华人民共和国成立后，随着华北的工业化发展和城市规模的迅速扩大，工农业和城市用水量愈来愈大，水资源的短缺问题更加凸显，进入海河的淡水逐年减少，河水咸化加剧。1958年7月4日，天津市第三届人民代表大会第一次会议通过了修建海河防潮闸的决议。此项工程得到国务院批准，天津各界十余万人参加了修建防潮闸的义务劳动。整个工程历时181天，至1958年12月底竣工，由此实现了海河水"咸淡分家"，但是仍然没有解决海河流域缺水的主要问题。

1963年8月上旬，海河流域南部地区下了一场历史罕见的特大暴雨。这次暴雨，给海河流域带来了严重的水害。仅据邯郸、邢台、石家庄、保定、衡水、沧州和天津七个地区统计，共有104个县（市）受灾，淹没农田五千三百多万亩，倒塌房屋1 265万间，约有一千万人无家可归。南运河方面，由于67%的水量通过四女寺、捷地、马厂三条减河入海，使南运河对天津的威胁大为减轻；但北岸决口仍有 12.96 亿立方米水量从黑龙港入贾口洼，增加了天津外围的水势。为确保天津市的安全，必须采取降低洪水位的措施，当时除利用海河干流、独流减河泄洪外，还采取了确保千里堤、三洼（东演、贾口、文安）联合运用和有计划扒口分洪等措施，使特大洪峰循序入海，终于保证了天津市及津浦铁路的安全，减轻了洪水造成灾害的程度。

在这次抗洪斗争中，天津人民上下一心，众志成城，涌现了许多可歌可泣的英雄事迹。1963 年 8 月 14 日，《天津日报》头版刊登了天津市人民委员会发出的防汛抗洪紧急指示，号召全市人民行动起来，"万众一心，英勇顽强，战胜洪水"；8 月 19 日，天津市人民委员会发出给全体党员的信，题为《迎接更艰巨的斗争，坚决战胜洪水》。广大党员干部和工人、农民、学生等各界群众积极响应党和政府的号召，奔赴抗洪前线。全市先后有近一百万人参加了抗洪斗争，其中 50 万抗洪大军相继开赴独流减河、子牙河、南运河、北运河和金钟河岸边，投入抢修堤埝的战斗，守卫着长达 300 千米的堤防。在抗洪斗争中，解放军始终是中坚力量，共出动海陆空十万大军，并投入大量的装备用于抗洪之中。空军部队不顾天气恶劣，穿云破雾，日夜飞行，空投了六百余万斤食品以及大量的救灾物资；海军部队先后出动 13 艘舰艇

九宣闸

到最危险的地方营救被困群众，有的战士还为此献出了年轻的生命。全市人民在解放军和全国各地的支持下，与特大洪水搏斗50天，经受住两次洪峰的严峻考验，1963年9月27日，《天津日报》刊载了题为《我们战胜了洪水！我们经受了考验！》的社论，为这次抗洪斗争的胜利做了总结。

1963年11月17日，毛主席为天津举办的抗洪斗争展览亲笔题词"一定要根治海河"，由此一场轰轰烈烈的根治

海河的运动在华北地区全面展开。到 1979 年，大规模根治
海河的工程基本完成，海河流域上游地区续建、扩建、新建
起截洪作用的大中型水库三十余座；海河中下游地区开挖子
牙新河、滏阳新河、永定新河和漳卫新河等 53 条骨干河道，
总长度 3 641 千米；同时修筑防洪堤 3 260 千米，控制山区
面积 85%，控制海河流域径流量 95%，从此天津再无洪水淹
城之患。

南运河入海河处的"三岔河口"石碑

让非遗焕发新生命

　　2014 年 6 月 22 日，在第 38 届世界遗产大会上，中国大运河项目成功入选世界文化遗产名录。天津，作为京杭大运河上独一无二的河海联运枢纽，与运河相伴相生，不可分割。运河带动起天津前行的脚步，使天津成为一座有声有色的城市，而勤劳的天津人民也创造出独具本土特色的运河文化，留下一批精神瑰宝，在今天焕发新的生命力。

静海区东、西钓台村

　　古老的京杭大运河是古代中国人创造的奇迹，是中华民族创造力的生动体现，它的规模之巨、作用之大、影响之远在人类历史上独一无二，它也为我们多民族国家的形成和发展作出了重大贡献。

　　2014 年 6 月 22 日，在卡塔尔首都多哈召开的第 38 届世界遗产大会上，中国大运河项目成功入选世界文化遗产名

录，成为中国第 46 个世界遗产项目。

　　大运河的天津段长约 190 千米，列入运河申遗遗产区的为北、南运河天津三岔口段，全长 71 千米，分别是：北运河部分，自武清区筐儿港减河与北运河连接处至三岔河口，长 48 千米；南运河部分，自三岔河口至西青区杨柳青镇镇区，长 23 千米。这段运河是北方城区运河典型段落之一。南运河与北运河的交汇处三岔河口，是元代海漕转运节点的重要历史见证。由此纳入《大运河天津段遗产保护规划》的运河遗产总计 19 处，其中运河水工

京杭大运河天津段北运河与南运河交汇处

北运河上的老米店节制闸

清康熙导流济运碑

清乾隆导流还济运碑

遗存十处，运河附属遗存七处，运河相关遗产两处。运河水工遗存中的筐儿港水利枢纽闸群是中国华北地区少见的群体水利工程之一，它由三孔新拦河闸、六孔旧节制闸、十六孔分洪闸、十一孔分洪闸、龙凤新河六孔节制闸和排污河穿运倒虹吸组成，主要功能是防洪、调洪、蓄水、灌溉、供水、防污排污。还有位于武清区老米店村北运河上的老米店节制闸也十分重要，这个节制闸主要是为防止永定河洪水向北运河倒灌，确保京津铁路及沿途村镇的安全。另外，位于南运河与马厂减河交汇处靳官屯南的九宣闸也是天津运河上的一员"大将"，它主要负责分泄南运河洪水，经马厂减河导洪入海。九宣闸不仅是一座重要的水利工程建筑，而且还是具有历史研究价值的文物。

除了水利枢纽，运河边的文化遗产还少不了各具特色的街区、村镇，最引人注目的有三处。

三岔河口，它是南运河与北运河的交汇之处，地位、作用之紧要毋庸置疑。目前尚存的原三岔河口附近文化遗产有金家窑清真寺、天后宫、玉皇阁、大悲院、望海楼教堂、金汤桥等。

西沽，位于天津市区北部的北运河尾闾，明清时期是比较固定的京师大道，被称为"津北名村"。现在的西沽地区仍保存有全国重点文物保护单位北洋大学堂旧址及韩家大院、丹华火柴厂宿舍、西沽基督教堂等遗址遗迹。

杨柳青镇，位于天津城西南，是南运河的重要节点，也是运河沿岸重要的码头和物资集散地。清代时，杨柳青已发展为津沽重镇，现在镇里还存有估衣街、石家大院、文昌阁、明代席市遗址、平津战役天津前线指挥部遗址、董家大院、安氏祠堂、安家大院等文化遗产。如今，人们可以从带有运河文化基因的木版年画，从"赶大营"的商业传奇，从留存至今的文化遗产中，进一步认识杨柳青，了解杨柳青，爱上这座古老的名镇。

运河的申遗成功，意味着继长城之后，天津又添了一处世界文化遗产，这不仅能够极大地提高天津的国际知名度，而且对于开发大运河天津段沿线的文化旅游，也提供了更多的无形资源。天津运河边的河西务镇、杨村镇、天穆镇、独流镇、陈官屯、唐官屯等村镇，市区及运河沿岸城镇都有的竹竿巷、锅店街、针市街、耳朵眼等街道，以及东西钓台、广东会馆、鼓楼、吕祖堂、文庙、水西庄旧址、顺直水利委员会旧址、十四仓遗址、天妃宫遗址、大王庙遗址、当城遗址、元蒙口沉船遗址、张湾沉船遗址等文化遗产，都可以借着申遗成功的东风，重新焕发活力。

诚然，相比于其他历史名城，天津还过于年轻，文化积淀更说不上深厚，但天津自有其独特的文化魅力，那就是雅俗共赏，兼收并蓄。

在城市发展的过程中，曾有一个特殊的阶层——盐商为天津作出了不可忽视的文化贡献。清朝末年，富而思文的天津盐商就兴建了许多文化园林，吸引着沿运河南来北往的文人墨客驻足天津，让天津有了雅文化的韵味，留下许多让人津津乐道的雅集佳话。

近代天津城市的经济发展吸引

点七至二点五米。南墙中部有城门缺口，宽二十一点五米。文化层厚零点五至二点一米，被沉土埋在地表下一点四米处，内有战国和西汉时期遗物。该址有五处臺地，上有绳纹板瓦，素面半瓦當，卷云纹瓦當，绳纹筒瓦等建筑材料和陶制生活用具。出土一块印有「陳和志左」圆形戳记的泥质红陶量器的残片和一方汉代「李柯私印」的铜印。城周有多处汉代窖窑及战国时期遗址，西侧有多处古代陶井。一九八二年，该遗址被列为市级文物保护单位。

沐中国共产党十八届三中全会之春风，西钓臺村党支部、村委会带领全体村民共同创建「美丽钓村」，时甲午（二零一四）暮春上浣，乃重立「西钓臺古城址」碑为记。

静海区西钓台村西汉古城碑

了八方来客，他们也带来了运河沿岸和上下西河沿岸的民间文化，从方言、饮食、武术、信仰，到戏曲、曲艺、年画、工艺，无不显示出运河的烙印。水聚风流，群英际会，在天

津这个大舞台上锤炼出一批堪称经典的俗文化精品和非物质文化遗产，让后人赏评。目前天津有 49 项国家级非物质文化遗产，如妈祖祭典（天津皇会）、泥塑（天津泥人张）、

津门法鼓、李氏太极拳、杨柳青木版年画等，此外，天津还有357项市级非物质文化遗产，包括了戏曲文化、名产小吃、医药卫生、民间传说等领域，无不与人们的日常生活息息相关，体现出俗文化的蓬勃生命力。

天津，作为京杭大运河上独一无二的河海联运枢纽，因运河而生，因运河而荣。南北运河相对而来，在天津的三岔河口合流汇入大海，河与海共同孕育了天津这座超大城市。处于海河尾闾的三岔河口，作为运河的节点，担当着把运河纳入海河水系的任务，在近代漕运史上有着举足轻重的地位，后来随着时代发展，三岔河口又有了新的功能，继续为天津进出口经济腾飞发挥不可或缺的作用。如今天津南北运河故道犹存，三岔河口承载着城市的余脉，当我们回头去追索天津的历史轨迹时，会更加深刻地体会到这座城市与运河那交相守护的渊源。毫不夸张地说，天津与运河相伴相生，不可分割，你中有我，我中有你。运河带动起天津前行的脚步，使天津成为一座有声有色的城市。而在这个过程中，勤劳的天津人民也创造出独具本土特色的运河文化，留下一批精神瑰宝。现在，这些瑰宝还需要我们去进行更深入的挖掘研究、整理保护和转化开发，这个过程还任重而道远。

HOW TO READ TIANJIN
FERRY CROSSING

后记

　　1404年12月23日，天津筑城设卫，是中国古代唯一拥有确切建城时间的城市。2022年，她即将迎来618岁生日。

　　孟夏时节，风暖蝉鸣，我们一众出版人齐聚一堂，筹划出版"阅读天津"系列口袋书，旨在贯彻新发展理念，挖掘地域文化，突出趣味性、故事性、通俗性，以"小切口"讲好天津故事，反映新时代人民心声，为城市献上一份贺礼。大家各抒己见，同一座城市却有着不同的关键词：海河岸广厦高耸，滨江道游人如织，这是一座"繁华"的城；古运河舟楫千里，天津港通达天下，这是一座"开放"的城；老城厢幽静雅致，五大道异域风情，这是一座"包容"的城；相声茶馆满堂彩，天津方言妙趣生，这是一座"幽默"的城……

　　倘若一座城市内部千篇一律，必然乏善可陈。不同的关键词，恰好表明天津城市图景具有多样性和丰富性，蕴藏着广阔而灵动的书写空间。然而，究竟从何处下笔为好？

我们又陡觉茫然。

著名作家冯骥才先生曾说："评说一个地方，最好的位置是站在门槛上，一只脚踏在里边，一只脚踏在外边。倘若两只脚都在外边，隔着墙说三道四，难免信口胡说；倘若两只脚都在里边，往往身陷其中，既不能看到全貌，也不能道出个中的要害。"

想来颇有道理，大家要么是土生土长的老天津人，要么是迁居多年的新天津人，早已"身陷其中"，真有必要迈出门槛，重新"远观"这座熟悉的城市。远观之远，非空间之远，乃心理之远。于是，我们计划佯装游客，尽量卸下自诩熟稔的"土著"心态，跟随熙熙攘攘的旅人，再次探寻天津。

漫步五大道，各式各样的洋楼连墙接栋，百年前多少雅士名流、政要富贾寓居于此。骑行海河畔，一座座桥梁飞架两岸，一桥一景，风格各异。游逛古文化街，泥人张、风筝魏、崩豆张等天津特产琳琅满目，坐落街心的天后宫庄严肃穆，漕运兴盛时水工船夫在此会聚求安。徐步杨柳青，古镇曾经"家家会点染，户户善丹青"，年画随运河水波，销往各地。落座津菜馆，罾蹦鲤鱼、煎烹大虾、清蒸梭子蟹、八珍豆腐，"当当吃海货，不算不会过"道出天津人对河鲜海味的偏爱。驱车观海滨，天津港货船繁忙，东疆湾海风拂面，大沽口炮台遗址见证了中华民族抵御外辱的不屈意志，被称为"海上故宫"的国家海洋博物馆收藏着无穷的海洋奥秘……

数日游走，一行人深感佯装游客也是一件力气活儿，哪怕再花上三五天也游不完这座城。旅途的尾声，我们选择登上"天津之眼"摩天轮，将大半座城市的繁华尽收眼底。座舱缓缓升至最高处，眼前的三岔河口正是海河的起点，所谓"众流归海下津门"，极目远眺间，心中豁然开朗！"举一纲而万目张，解一卷而众篇明"，近在眼前的海河不正是那"一纲""一卷"吗？上吞九水、中连百沽、下抵渤海，我们数日以来的足迹，似乎从未远离过海河！

从地图上看，海河水系犹如一柄巨大的蒲扇铺展在大地上，其实她更像是这座城市庞大而有力的根系，将海河儿女紧紧凝聚——城市依河而建，百姓依河而聚，文化依河而生，经济依河而兴。

经过反复讨论，我们决定推出"阅读天津"系列口袋书第一辑"津渡"，以海河为线索，串联起天津的古与今、景与情，讲述海河历史之久、两岸建筑之美、跨河桥梁之精、流域物产之丰、沽上文学之思……

众人拾柴火焰高。在出版过程中，感谢中共天津市委宣传部的谋划和指导，践行守护城市文脉的责任担当，鼓励我们打造津版好书；感谢冯骥才、罗澍伟、谭汝为、王振良先生，为我们指点迷津，完善策划方案；感谢"津渡"的每一位作者、插画师、摄影师、设计师，付梓之时，更觉诸位良工苦心。

最后，感谢抚书翻看至此的读者！甲骨文的"津"，字形像一人持篙撑舟，我们也期望"津渡"犹如一叶扁舟，载着读者顺水而下，遍览一部流动的城市史诗！

"阅读天津"系列口袋书出版项目组
2022 年 9 月